新潮文庫

無垢の領域

桜木紫乃著

無垢の領域

1

初日だというのに、雨に降られた。

個展会期は十月の一週目、火曜日から土曜日までの五日間だ。予報どおり雨が続けば、来館者もさほど期待できない。

秋津龍生《あきつりゅうせい》は市立釧路《くしろ》図書館のロビーに立ち、丘の下に広がる景色を見た。図書館は築四十年、秋津が二歳のときに建てられたものだ。幼いころ母と連れだって歩いた記憶のなかで、この場所はとても華やかだった。乳白色の建物は、港と駅前通りと釧路川を見下ろす場所で、海霧と一緒に街の栄枯を見つめていた。

晩秋の雨は冷たく、街の景色を煙らせている。静かだ。細かな雨が街の音を吸収していた。幣舞橋《ぬさまいばし》と黒い川面《かわも》は、墨絵に似ているといつも思う。

水滴で濡《ぬ》れるロビーのガラス窓に、自分の姿が映っていた。黒いジーンズとチャコールグレーのボタンダウンシャツ、上には伶子《れいこ》が勧める千鳥格子《ごうし》のジャケットを羽織った。

「いつも穿《は》いているものがいちばんよ。体に馴染《なじ》んで、どんな立ち姿も絵になるでしょう。スーツなんか着たくないだろうし。アイロンがきいたシャツにジャケットを羽織ったら、たいがいの四十男は小ぎれいに見えるものなの」

妻が放つ言葉にはなんの含みもないのかもしれない。なのに最近はいちいち伶子のひとことに心がひりついた。仕事の帰りに立ち寄ると言っていた。用意した芳名帳にひとつも名前がなかったら、秋津より伶子のほうががっかりするかもしれない。

会場は図書館一階のロビー横にある。朝からの入館者は個展が目的ではない人ばかりだ。素通りしてゆく背中を見ていると、準備に費やした時間がむなしく思えてくる。興味などなくてもいいからせめてここに名前を書いてくれ、という気持ちになる。

入口には会議用の細長い机に、芳名帳と筆記用具を用意してある。筆、墨、硯《すずり》、サインペンや筆ペン、万年筆。好きなものを選べるようにしたことで、気後れさせたのかもしれない。

『秋津龍生　墨の世界』

芳名帳の横には個展のしおりを置いてある。伶子が養護教諭の仕事の合間に作ってくれたものだ。秋津は筆を持つしか能がない。パソコンのチカチカした画面は苦手で、自宅のノートパソコンはほとんど伶子が使っている。

秋津はA4判のコピー用紙を二つ折りにしたしおりを手に取った。

『秋津龍生（四十二）三歳より筆を持つ。筑波《つくば》大学（芸術専門学群 書専攻）卒業後、北京《ペキン》にて二年間の古筆研究課程履修』

陰で「立派な学歴」と言われているのは知っている。見合うだけの実績がないという意味だ。

古い体質の書道界に背を向けてから十年が経《た》った。北京での留学生活を終え故郷に戻って、余裕綽々《しゃくしゃく》で道内の公募展に応募した。三年間、最終選考まで残りながら受賞を逃し続けた。

一歩届かぬ理由は金だった。生意気な留学帰りの新参者が名をあげるために必要なのは、野心でも腕でもなく懐《ふところ》具合だと耳打ちされた。

金で買える賞など要らない。

学歴ばかり仰々しいことを恥ずかしいと思う傍らで、その思いを打ち消す暗く太い野心もある。背を向けているくせに、自分が誰よりも賞や名声を欲していることに気づいている。秋津は自分の名前が一人歩きをするほどに表へ出て行くことを、心の底から望んでいるのだった。卑《いや》しい。口には出せない。

今朝、釧路新聞と北海道新聞地方版の取材を受けた。やってきた記者の態度からみても、記事内容は書道家の個展というよりも図書館行事の紹介が中心だろう。図書館長が地元のプレスに向けて広報してくれたからこその取材だ。期待してはいけない。注目されているなどという勘違いはもっといけない。

午前中に会場を訪れたのは新聞記者以外では図書館利用者が三名、ロビーに新聞を読みにきて個展に気づいたという六十代の男が一名。いずれも秋津の個展が目的ではない。男は親切心にしては遠慮のない質問をして秋津を困惑させた。

「道展には出品されていないんですか」

「ええ、まぁ」曖昧《あいまい》に笑って返した。毎日ロビーの新聞を読みにやってくるついでに立ち寄ったという正直な客は、秋津の作品をひととおり眺め「いいご趣味ですな」と言った。

地元で書道家を名乗っている面々はこない。くるとすれば、たちの悪い冷やかしだろう。秋津も彼らの個展には行かないのだから当然だ。

図書館入口の自動ドアがゆっくりと開いて閉じた。

ビニール傘を傘立ての端に引っかけて、ドアと同じくらいのんびりした動きで、女がひとりロビーに入ってきた。外気がすこし遅れて秋津の足下を通り過ぎる。

女はこちらを見ないまま会場から四、五メートル離れた場所で立ち止まった。大きな黒いバッグを肩にかけ、白いフリースに秋津と同じような黒っぽいジーンズ姿。肩から背中の真ん中あたりまで、髪の毛が濡れていた。ジーンズも、膝《ひざ》から下の色が変わっている。この雨の中、どこから歩いてきたのだろう。秋津は女からしばらく目が離せなかった。化粧気のない頬は学生のようにも見えるが、どうだろう。今どきは高校生でも厚い化粧をしている。秋津の時代には考えられなかったことだ。

女はあたりを見回したあと、入口に置かれた個展の立て看板を見た。秋津はわずかに緊張する。が、彼女が足を向けたのは図書館の館内案内板だった。

女の視線は案内板の上から下へと移動し、もう一度上へ戻った。秋津はその横顔を無遠慮に眺め続ける。女はこちらに気づいていない。女の無防備さは秋津の興味をより遠慮のないものにした。髪の毛の乾いた部分と濡れた部分が作る、たわんだ曲線に艶《なま》めかしいものを感じて戸惑う。案内板の横に『不審者に注意』の張り紙を見つけ、あわてて女から目を逸《そ》らした。

秋津が体の向きを変えるとすぐに、女が目の前を通り過ぎた。雨と墨のにおいが鼻先をかすめた。どこかの書道教室の帰りかもしれない。こちらの姿など目の端にも入っていない動きを追う。彼女は芳名帳のある机の前に腰掛けると、傍らに黒いバッグを置いた。

女が背筋を伸ばし、小筆を手に取った。硯は秋津が留学中に見つけた陶器製のものだった。鑑定してもらったことはないが骨董品《こっとうひん》であることは確かだ。白い陶器のへこみに墨を擦ってある。女は臆《おく》する様子もなく丹念に穂先を整え、構えた。彼女を包む空気が動きを止めた。

穂先が芳名帳のいちばん最初の欄に入った。伸びた背筋。右肘《ひじ》の角度。筆運び。構えには一切の隙《すき》がない。近寄ることができなかった。

女は時間をかけて名前を書き終え、白磁の筆置きに小筆を置いた。立ち上がり、バッグを肩にかける。床には観覧順路を示す赤いテープを貼《は》っておいた。女が順路に従い歩き始める。

秋津は机に近づき、書き入れられた名前を見た。

『林原純香』

芳名帳の一行目は、隣の余白を突き放すほど隙なく書き込まれていた。

写経の手本か、あるいは印刷された活字でも眺めているような気分になる。目の前で書かれた文字に、そんな印象を持ったのは初めてだった。たった四文字だが、おそらく欄の左右と上下の狂いはないだろう。欄内の余白も完璧《かんぺき》だ。真ん中に一本線を引いてみればよくわかる。線を引かなくても、秋津にはわかる。おそろしいほどの集中力で書かれた名前。女の文字には手書きの温かみと愛嬌《あいきょう》がなかった。秋津は一箇所も崩さずに書かれた楷書《かいしょ》文字に、恐怖を覚えた。

十メートルの壁が三面、六メートルの壁が一面、残りは入口という正方形の展示会場だ。右壁に『花シリーズ』、正面に『空模様シリーズ』、左壁に『古典の臨書』を配してある。最後の壁には、順路の終わりを飾る全紙の創作を掛けた。

十月末が締め切りの『墨龍展《ぼくりゅうてん》』に応募した一幅と同じものだ。新進の書家が集う『墨龍会』が今年初めて全国を対象に始めた公募展だった。古い体質に背を向けた者が集まり、新たな流派を作ろうというのが創立の動機だ。金と人脈がなければ昇進できない仕組みから一歩踏み出せ、が会の謳《うた》い文句だった。応募する人数も規模も未知数だが、秋津はこの賞に賭《か》けている。

蓋《ふた》が開くのは十二月に入ってからだ。老いも若きも、本当は自分の腕だけで勝負したい。秋津には『墨龍会』を旗揚げした主宰者集団の気概がわかる。自分の名前の一文字が入った公募展の初回で名乗りを上げて、請《こ》われて会員となるために、秋津は今年の夏を費やした。

秋津の創作が並ぶ壁、二面のあいだではじっくりと足を運んでいた林原純香《はやしばらじゅんか》は、手本のある『臨書』の壁はさらりと流した。少しでも書を学んだ者ならば、普通は立ち止まるだろう。古典の臨書は書き手の腕が露《あら》わになる。逃げも隠れもせずに前へ進んできた成果を見せる部分だ。

自信はあった。留学時代、道端に水で文字を書いて遊ぶ老人たちから学んだものだ。あっという間に蒸発する水文字は、その儚《はかな》さゆえか息をのむほど美しかった。秋津が純粋に憧《あこが》れたものは、日本に戻ったとたんに俗な階級意識にのまれた。『墨龍会』も、長い歴史を重ねればいつか野心の踏み台になってゆく。人が集まるところだ。「反体制という体制」には違いなかった。四十を過ぎてまだ夢だの未来だのといった言葉を引きずっているのは正直悔しいが、その思いが心の均衡を保っている。

秋津は入口で彼女の様子を見続けた。

林原純香は、最後の壁の前に立つと、すぐに後ずさりした。横二尺三寸、縦四尺五寸の全紙に浮かぶ『隗』は、既成の概念を極限まで取り外すつもりで書いた。「隗《かい》より始めよ」の隗だ。『墨龍展』への名乗りとして相応《ふさわ》しいのではないかと選んだ一文字だった。

背中に目があるのではないか。林原純香を見ているとそんな錯覚が起こる。無表情のまま滑るように後ろへと下がる。彼女が『隗』を見るために選んだのは、秋津が昨日数時間かけて高さと左右のバランスを調節し続けた位置だった。

彼女はしばらくのあいだ秋津が「今年の一幅」に選んだ一文字を眺めていた。気味が悪くなるほど澄んだ目をしている。果たしてそれが幸福なことなのかどうか、疑いたくなるほどの真《ま》っ直《す》ぐさだ。

彼女の目は『隗』に注がれているはずだが、もっと遠く、壁を通り越した向こう側の景色を見ているようにも感じられた。目鼻立ちは整っているし青みがかった白い肌もきれいだ。ただ、美しいというのとはすこし違った。顔かたちの良さを引き立たせる表情が欠落している。どう考えても秋津の姿が目に入っているはずなのに、こちらの存在など気にしてもいない。

背後から靴音が近づいてきた。振り向くと図書館長がすぐ後ろに立っていた。百七十センチの秋津を軽く見下ろすくらいの長身に、長い手足。ほどよくついた筋肉がスーツの上からでもわかる。まだ三十代半ばと聞いた。眉《まゆ》と目のバランスは良いが鼻がすこし高めで、黙っていると冷たい印象を与えるだろう。

昨年春、市立図書館は経費削減のため指定管理者へとその業務が引き継がれた。彼は民営化されて初めての図書館長だった。図書館流通センターの名はここ二年のあいだ、民営化反対集会や地元書店との軋轢《あつれき》などに揺れ、何度も新聞紙面を騒がせた。

秋津が個展の会場を貸してほしいと相談したのが今年の一月だった。図書館流通センターの運営は表面上落ち着いているように見えたが、まだまだ内情は反対派や教育委員会との確執を抱えていたはずだ。秋津が相談にきた際も、来客中だった。客を送り出してすぐに通された応接室で、おだやかな表情に変わってゆく彼を見た。

あの日秋津は、逆風の中に立っているという状況だけで彼を好ましく思った。

民営化されてから、地元新聞には彼のコラムをはじめ、図書館のイベント案内や情報が載らない週はなかった。「やり手」、「図書館業界の革命児」という呼ばれ方を本人がどう思っているのか、その表情からは読み取れない。人口十八万人の街が、文化の拠点としてこれまで図書館長に据えてきたのは、市の文化人か定年間近の市職員だった。半世紀以上も続いて半ば温室化した業務の一切を、株式会社図書館流通センターから単身乗り込んだこの男が変えた。

秋津は咄嗟《とっさ》に館長が首に下げた職員証を見た。

市立釧路図書館長、林原信輝《はやしばらのぶき》。

軽く会釈《えしゃく》をした林原の視線が、秋津の肩の向こうへと移る。振り向く。さっきまで無表情だった女の頬が一気に持ち上がり、彼女の視線もまた秋津を通り越して館長のところで止まる。

「すみません、妹がなにかご迷惑をおかけしなかったでしょうか」

「いや、そんなことはまったく」

言ったきり、次の言葉がでてこない。

林原が妹に向かい、優しく咎《とが》めるような口調で言った。

「雨が降ってたらタクシーを使えって言ったろう」

「歩きたかったの。駅をでてつきあたりの坂の上だって、ノブちゃん言ってた。一本道だもん、間違わないよ」

林原がひとつ息を吐いて秋津に向き直った。飄々《ひょうひょう》とした笑顔に戻っていた。

「すみません、いつもこんな調子で」

「妹さんだったんですか。いや驚きました」

秋津の言葉に、彼は眉を片方持ち上げ首を傾《かし》げた。芳名帳のことや彼の妹が醸《かも》し出す不思議な空気の、どれから訊《たず》ねればいいのか、訊ねてもいいものなのかどうか考える。秋津はこの兄妹から漂ってくる、どこか人を拒絶した気配が気になって仕方ない。

「やっと芳名帳にお名前をいただけたんですが、素晴らしい筆でした」

照れ笑いに見えれば良いのだが。持ち上げているのではなく、本気で感服しているのだから始末に負えない。林原が芳名帳に視線を落とす。秋津は彼が見せた険しい表情を見逃さなかった。

「妹は実家で、祖母が開いていた書道教室を手伝ってたんです。先生に褒めていただけるとは、嬉《うれ》しいです」

「駅から歩かれたということですが、観光かなにかでこちらにいらしたんですか」

林原純香は会場内をきょろきょろと見回していたかと思えば、じっと一方向に目を止める。視線がまるで筆の先のように辺りを走り、止まり、再び走る。

「祖母が亡《な》くなったもので、こちらに住まいを移すことになったんです」

「そうだったんですか」

「ノブちゃん、お腹《なか》すいた」

純香が林原の腕を取った。秋津の興味は、陽気なのか陰気なのか、大人なのか子供なのかわからぬ娘に傾いていた。書道教室を手伝っていた程度の腕じゃない。それだけはわかる。

「さっき、最後の壁でずいぶん長くご覧いただいてましたね。いかがでしたか」

純香はその場を離れ、先ほどと同じ場所で再び『隗』に視線を合わせた。壁に向かって両腕をまっすぐ肩の高さまで上げる。小学生が整列をするときの「前へならえ」

の姿勢だ。動かない。両手を全紙作品の位置に合わせ、「この幅なの」と言った。

「この幅からでてこないの、この字。紙の大きさに負けてるの。飛びだしたいのに飛びだせない。怖がって書いてる。紙のことも、墨のことも」

林原が歩み寄り、妹の腕を掴《つか》んだ。

「純香、きなさい」

先ほどまでの温厚な表情が消えていた。林原がバッグを持ち上げ、妹を会場の外へと連れ出した。秋津はロビーの端へと引っ張って行かれる彼女の、不満そうな唇を見た。林原は妹を椅子《いす》に座らせたあと、なにか言い聞かせているようだ。横顔に笑みはない。

林原純香のひとことは、痛みすら麻痺《まひ》するくらいの深傷《ふかで》だった。安易に感想を求めたことを後悔しているくせに、とてつもないものを「見つけた」ことへの喜びに満ちてもいる。秋津は自分の心の在処《ありか》がわからなくなった。

『怖がって書いてる。紙のことも、墨のことも』

かつてこれほどつよい言葉で言い当てられたことはない。彼女が兄に連れられて階上へと去ったあとも、秋津の心は痺《しび》れたままだった。浮遊感、あるいは底を打った気持ちよさ。それが初めて会った年若い女からもたらされたことが不思議だった。

「疲れたでしょう、大丈夫？」

ロビーで缶コーヒーを飲んでいた秋津は妻の声に振り返った。外はもう真っ暗だ。渋い柿《かき》色のコートを着た伶子が隣に立った。ふたりでガラス張りのロビーから夜景を眺める。雨に濡れたアスファルトに街灯の明かりが吸い込まれていた。

歩く人もまばらな駅前通りに夜ごと街灯が灯《とも》り続けているのを見ると、昭和の目抜き通りもずいぶんと年を取ったものだと思う。秋津が若いころは、週末になると買い物客が列をなして歩いていた。港も炭鉱も力をなくしてしまい通りに人が集うことはなくなったが、街灯は煌々《こうこう》と灯り続け、川面に光を投げている。人が流れ去り華やかな週末が記憶のなかに埋もれても、景色はそこに在り続ける。潔《いさぎよ》い老いというものがあるのなら、たぶんこんな感じなのだろう。

ガラスに映った妻の頰を見た。出会ったときよりもすこし削《そ》げている。

初めて会ったのは、秋津が工業高校の非常勤講師として週に二回書道の時間を持っていたときだった。伶子は養護教論をしていた。

彼女の瞳《ひとみ》にまだ秋津以外の男が映っていたころ、取り乱すほど焦《こ》がれた。男には妻があった。

「どうやったらこっち向くんだろう、あなたは」

「それ、しらふのときにもう一度言ってくれませんか」

忘年会の二次会だったか、三次会だったか。秋津が投げた質問に洒落《しゃれ》た応《こた》えが返ってきて笑った。三十一歳のときだ。ふたつ年下の彼女が見せる大人びた微笑《ほほえ》みに夢中になった。そのまま物理の教師からはぎ取るように奪った。

男子校の黒々とした景色のなかで、伶子のいる場所にだけ白い花が咲いているように見えた。身をよじり焦がれたことを、口にだしたことはない。添い続けることを誓い、誓ったからには守る。それが妻の過去を知っている自分の誠意だと思っている。

「龍《りゅう》さん、一緒に見ましょうよ」

伶子が秋津の肘を取った。気恥ずかしさを空き缶と一緒にくずかごへと放った。初日の来場者は二十三人。入口で名前を書き込んだのはそのうち八人だった。伶子が芳名帳をちらと見たあと、しおりのずれを整えた。

赤いテープに沿って歩く妻に一歩遅れながら、額装した自作の前に立つ。額の場所も高さも、隣までの「間」も、なにも変わっていない。けれど昨夜会場を作っていたときとはなにかが違った。すべて他人が書いたもののように思える。

「どうかしたの」伶子が秋津を見上げていた。小さく首を振った。今日、面白い子に出会ったんだ、という言葉をのみ込む。林原純香のことをどう説明していいものか迷った。

伶子が秋津の左腕を持ち上げ、時計を見る。人前でそんな仕草ができる女だった。

「ヘルパーさん、あと三十分。わたし、ひとまわりしたら先に帰るね」

「わかった」

個展の会期中、初日と最終日は母親の介護をヘルパーに任せることになっていた。秋津の母は五年前の脳梗塞《のうこうそく》が元で左半身が麻痺している。ここ一年ほどは認知症も併発していた。ひとりでは置いておけなかった。咀嚼《そしゃく》がうまくいかなくなっていることに加え、最近は食べ物の味もわからないようだ。おかゆに卵味噌《みそ》、あるいは鮭《さけ》フレークを混ぜたもの。汁物は細かく刻んだ豆腐の味噌汁。日中の食事は秋津が作るので、どうしても手間のかからないものばかりになってしまう。食事の世話をして、排泄《はいせつ》を手伝い、機嫌が悪いときはそれにつきあう。

母を見ていると、人はこうやって壊れてゆくのだと思う。図書館ロビーから眺める夜景のように、凛《りん》と老いてゆくのは難しい。秋津の胸に昼間沈んだ野心が再び頭をもたげてきた。同時に視線が妻の肩先から、腰のあたりへと移動した。

結婚してからの十年、ほぼ半分を母の介護に費やしていた。母が倒れたのは、そろそろ子供をと思った矢先のことだ。あれからずっと、母の変化に合わせてゆくのが精いっぱいの日々が続いている。

子供のことは伶子が先に諦《あきら》めた。

「もう、いいと思うの」

聞こえなかったふりをして抱いた。あの日の数秒を挟み、ふたりが抱き合うことの意味が変わった。

秋津が週に三日の書道教室で得られる収入は、伶子の半分にも満たない。それも書道用具や作品の表装にかかる費用でおおかたが消える。母のヘルパー代をやりくりするのも大変だ。生活費のほとんどを妻に依存している。秋津が外で職を得たとしても、そのぶんが母の介護費に消えるとなれば、教室を開きながら自分でみていたほうがいいのだった。母が認知症と診断されてからは、妻の前で卑屈にならぬよう努めている。考えだすときりがなかった。子供のことも、母のことも、生活も。

お互いできることをしていこう、というのが伶子の提案だった。不満はない。収入のことは深く考えないでほしいという妻の言葉にまるごと甘え、溜《た》まり続ける負い目を切りぬけていた。心根に感謝を包む嫉妬《しっと》の膜があることにも気づいている。

やはり、と秋津の心は再び『墨龍展』での受賞へと傾いていった。すり減ってゆく自尊心とのたたかいが、筆を持つ原動力だ。野心に突き動かされている限り、人としての弱さを許されているように思う。

伶子が会場を一周するころ、林原が様子を見にやってきた。

「いつの間にか雨が上がっていたようですね」

秋津は軽く頭を下げ、『隗』の前にいた伶子を手招きした。

「ご挨拶《あいさつ》が遅れましたが、妻です。西高校の養護教諭をしております」

伶子が秋津の横に並んだ。

「秋津の家内です。いつもお世話になっております」

「このたびは個展開催おめでとうございます」

林原が名刺を差し出した。柔らかな笑顔だ。妹の純香が秋津の作品にひとこと言ったときの、険しい眼差《まなざ》しは消えていた。

「館長さんのことはいつも新聞で拝見しております。お忙しい毎日でしょう」

「お恥ずかしいです。なにかと駆り出されることは多いんですが、街のお役にたてているのかどうか正直言うとまだわかりません」

秋津以外の男に微笑む伶子を久し振りに見た。物理教師が彼女に送った目配せを思いだしている。今ごろなにを、と奥歯に力が入る。

いい笑顔だった。うなじから真っ直ぐに切りそろえられた毛先が頬で揺れる。薄い化粧と口紅は十年前と少しも変わらない。さり気なく腕の時計を見る。そろそろヘルパーが帰宅する時間だった。

「すみません、わたしそろそろ家に戻らないと」伶子が右頬にこぼれた髪を耳にかけた。顎《あご》の線が女らしい曲線を描いた。

林原純香が言うように、書いたものが己の肩幅を超えられないのはわかっていた。秋津はその原因が目の前にいる「できすぎた妻」のせいかもしれないと思い、急いでその考えを振り払う。伶子は林原に会釈をし、秋津には軽く手を振って図書館から出ていった。

「奥さまは、西高校にお勤めだったんですか」

「道立の高校をまわってます」

「転勤もあるんですか」

「本来なら管内も管外もあるそうなんですが、いろいろあって自宅から通勤できる範囲という希望を出してまして。今のところは市内ですが、いつまで考慮してもらえるのかわかりません」

六年周期でやってくる転勤時期の、ちょうど端境期《はざかいき》に母が倒れた。介護と収入について真剣に話し合ったのは一度きりだ。「今の自分にできる限りのことをします」と伶子が言った。それ以後、母のことについて話し合うことは避けてきた。結果、秋津に残ったのは捻《ねじ》れた自尊心だった。

そうですか、と言った彼の視線が芳名帳をかすめる。妹とは骨格も顔のつくりもあまり似ていない。そろそろ初日終了ですねとつぶやいて、林原が会場へと入った。秋津は白いワイシャツの後ろ姿を眺めた。思ったより肩幅のある男だった。上背があるせいで正面から見ているときは気づかなかった。筆をしなやかに動かす、なで肩の秋津とはまるで違う。

広い背中に向かって声をかけた。

「館長、ちょっといいですか」

秋津の声に振り向き、林原が「どうぞ」という笑顔を向ける。

「いちど、妹さんをわたしの教室にお招きしたいんです。お時間があったらでいいんですが、お願いできませんか」

ほんの一瞬ではあったが、林原の当惑した表情を見逃さなかった。

「ありがとうございます。伝えておきます。今日の失礼、本当に申しわけありませんでした」

「失礼なんてことはないですよ。刺激的な意見でした。嬉しかった。なかなかあんなふうに言ってくれる人は少ないんです。だいたいの人間は褒めてこちらをいい気にさせて、そのあいだにちょっとでも抜きん出ようと必死なんだ。純香さんにはそういう邪気がない。きっと天性のものをお持ちなのでしょう」

「そんなに、たいそうなものじゃないですよ。あれは思いつきでものを言うから困るんです。いつもそうなんです」

口元は笑っているが、目は険しいままだ。秋津は林原純香の、当てずっぽうでもまぐれでもない才能をこの目で確かめたかった。

風呂《ふろ》上がり、水を一杯飲んだ。酒はやらない。飲めば夜中、母に呼ばれても起きることができない。伶子の負担が大きくなってしまう。夫婦の寝室は二階だが、母の調子が悪いときは介護部屋にあるソファーベッドで寝起きしながら様子をみた。週に一、二度はそんな日がある。

一階の茶の間は母が倒れたあと介護部屋に変わった。建ててから三十年の木造二階建てだ。十年前に外壁をサイディングに替えたものの、期待したほど断熱効果はなかった。父は秋津の留学中に逝《い》った。父を亡くしたあとは、母が開いた書道教室で生計を立ててきた。わずかな不動産も、秋津が家に戻るころにはなくなっていた。息子が社会生活に向かない男に育ってしまったことは、母のいちばんの誤算だったろう。

一階の半分は書道教室だった。茶の間と広めの台所を仕切るのはガラス入りの引き戸だ。母の介護が始まり、いつの間にか秋津と伶子の生活空間は台所が中心になった。仕切りのガラス戸は常時開けているのだが、食事の際だけ閉めるようにしている。

午後八時、遅めの夕食は筍《たけのこ》の炊《た》き込みご飯だった。伶子は筍を買うと必ず他の具材と煮込み、味をつけて冷凍しておく。

「困ったときはこれがいちばん。ごめんなさいね、今日は手抜き」

「それにしては旨《うま》いな」

「手抜きって、味に自信があるときじゃないと言えないでしょう」

ふふ、と笑う。湯上がりの濡れた毛先が揺れた。出会ったころ背中まであった髪は、ここ十年でずいぶんと短くなっている。仕事中は束ね、夜には解かれているのが好きだった。秋津の脳裏に、林原純香の肩先でたわんだ髪が蘇《よみがえ》る。筍の旨みが心地良く、ほどよく心が妻に傾いている。夕刻にあったやましさも薄れた。

「今日、面白い子に会った」

扇状の笥を口に運びながら、伶子が上目遣いで秋津に問い返した。
「『隗』を見て、額の幅から飛び出してこないって言い切った。怖がって書いている
そうだ、紙も墨も」
口にだしてしまうと、ひどく愉快な気分になった。伶子も笑っている。この古びた
家の、蛍光灯の下でさえ伶子の周りには華がある。自分や母親や、修繕もままならな
くなった家に妻を縛り付けている負い目が秋津を責める。いちど滑り出してしまうと
なかなか止めることのできない、心の内にある砂の坂だ。
「爽快《そうかい》ね、そこまで言われちゃうと」
「うん。面白い子だ」
「子供なの」
「いいや、子供じゃなかった、若い女の子だ」
「あら」伶子の唇がいたずらっぽく横一文字に伸びる。素顔の白い頬が持ち上がる。
秋津も笑った。林原純香が図書館長の妹ということを口にするのはためらわれた。伶
子にほかの男を思いださせたくない。
「たぁちゃん」引き戸の向こうから細い声がした。母が呼んでいた。立ち上がりかけ
た伶子を引き止め、箸《はし》を置く。紙おむつが濡れて気持ち悪いのだろう。食事の前に排

泄を済ませておけばよかった。

一日の流れがすこしずれていた。秋津の心もどこか平常からは浮いている。掛け布《ぶ》団《とん》をめくり、母の紙おむつを取り替えた。おむつ交換は、なるべく明かりを灯さずにすることにしていた。薄暗がりに空いた洞穴の暗さから、少しでも目を逸らしたい。母親の下の世話をしている自分からも現実からも、逃れたかった。

「たぁちゃん」

どこからか空気が漏れるような声だった。本名は「たつお」だが、雅号読みで「りゅうせい」と呼ばれることのほうが多い。伶子もそう呼ぶ。秋津は母の呼びかけに応えなかった。介護ベッドの脚もとにあるポリバケツに、汚れた紙おむつを入れて、袋の口を縛る。こちらに背を向けている伶子の肩先に視線を移す。手を洗って席に着けば、なにごともなかったようにまたふたりの食事が始まる。立ち上がり、背筋を伸ばした。

2

林原信輝は、床に積まれた本や資料、細かな荷物を見下ろした。妹に与えた六畳間からあふれ出たものだ。十畳の台所付き居間と六畳が二間の賃貸マンションだった。

眉のつけ根に疲れが溜まっている。細かな数字やパソコンの文字、最近は疲れがまず目にくる。煙草《たばこ》に火を点《つ》けた。吸い込むと、臓腑《ぞうふ》が元の位置に戻った気がした。

自分の寝室とクローゼットを確保するため、パソコンデスクを居間に移した。テレビとオーディオ以外なにもなかった部屋が、急に雑然とした印象に変わった。ひとり暮らしの気楽さがなくなってしまうことよりも、妹と送るこれからの生活に対する不安が気持ちの大部分を占めている。

閉まっているドアを見る。純香は二十五になった今も、午後十時には布団に入る。中学までは九時、高校からは十時。ずっと祖母と決めた約束を守り続けている。

祖母は今年の夏、お盆が終わった数日後に急逝した。自分と純香の育ての親だった。前日まで書道教室も休まず、夕食の支度をしていたと聞いた。いつもどおり、孫娘の隣に敷いた布団に入ったが、翌朝目覚めなかった。眠っているあいだに、ひょいと向こうの世界へ逝ってしまったらしい。死因は心臓麻痺だった。

気丈な祖母がいったいどんな夢をみて心臓を凍らせたのか、想像はできない。祖母を亡くしたとき信輝にとっての故郷も失われた。ひとりで暮らせるから大丈夫だと言い張った純香だったが、結局二か月もたなかった。

一週間ほど前、純香の様子を報《しら》せてきたのは近所に住む寺田里奈《てらだりな》だった。里奈は長く祖母の教室に通っていたし、純香も彼女を姉のように慕っている。

「ノブくん、どうして純香ちゃんを連れて行かなかったの。あの子、先生が亡くなったことを理解してない」

習慣どおり米を炊き、習慣どおり書道教室を開くところまではいい。純香はそれ以上のことができなかった。総菜を作る祖母がいなければ、ご飯だけを食べて過ごす。子供たちに習字を教えることはできても、月謝の受け取りとなるともう駄目だった。

「ひとりで置いておくのは、無理だと思う。ノブくんが家を出たのって、まだ純香ちゃんが子供のころだったでしょう。ぜんぜん成長してないの。子供のまま。あの子、ちょっと子供っぽいとかあどけないっていう感じじゃないの」

どうしてひとりにしたのか、と責められてもうまい答えはなかった。

中学時代は信輝が生徒会長、里奈は書記長を務めていた。里奈とは道央の図書館勤務から図書館流通センターへと転職した三年前に一度、別れ話がでた。生まれ育った江別に残り、地元の個人病院で医療事務員をしている里奈も、既に信輝と同じ三十半ばだ。釧路へ赴任する際に言われたひとことが今も耳に残る。

「ノブくん、生活よりも仕事への苛立《いらだ》ちを優先させるんだ」

男と女の関係はあの時点で一度薄れた。

資格と知識にあぐらをかいて体は動かさない。そんな集団のひとりでいるのが嫌だった。最終的な役職は係長。図書館流通センターから引き抜きの声が掛かった際、来た道をあっさりと捨てた。それを里奈は「向こう見ず」と言った。

閉じた世界から、ときどきわけもなく飛び出したくなる。悪い癖だということには気づいている。手に入れて必死で温めたものを、無性に捨てたくなるときがある。母は信輝が十三のときに入水《じゅすい》自殺をしたが、この性分が彼女から受け継いだものだとすれば納得できた。

「ノブくん中学のときとなにも変わってない。ワンマン生徒会長と手堅いだけが取り柄の書記長って言われてたんだよ、わたしたち。どう考えても不利な闘いが好きだったよね。そこを勝ち上がってきたひとだった」

信輝について里奈はよく「自分より他人に諦めを強いるひと」と言った。返す言葉はなかった。純香が里奈を姉のように慕っていなければ、もっとはっきりとした別れがあったかもしれない。

純香と暮らし始めた以上、里奈との関係もまた変化してゆくのだろう。結婚の話題に触れることは、妹の面倒をみてほしいというのと同じだ。一度手に入ったものを、それが喜びごとでも厄介ごとでも、ある日突然手放してしまえる危うさが、よく「司書」という仕事にだけは出てこないものだと感心している。

山のように積まれた返却本を「あるべき場所」に、無心に戻すという作業をする一方で、利用者のよく読む本を体に覚え込ませる過程が好きだった。ひとつ言われたら然《しか》るべき場所に体が向いてしまうくらい、反射神経に支えられた仕事だと思っている。

今は、金の調達と人とハコの管理が主な仕事だ。市が図書館に指定管理者制度を導入するにあたって、かなりの騒ぎになっていることは承知していた。クレーマー、地元書店、マスコミの対応、街が抱える不安や剝《む》き出しの感情とつき合ってきた。残っているのは自分以外の誰も、この喧騒《けんそう》と向き合えないだろうという自負だ。いつまで経っても「生徒会長」のままだという里奈の言葉も腑に落ちる。

気づくと灰皿がいっぱいになっていた。全館禁煙の職場では、思うように煙草も吸えない。携帯電話を開き、里奈を呼んだ。

「出来そこないの生徒会長だ」と言うと、からからとした笑い声が返ってきた。

「純香ちゃんはもう寝たのね。どうしたらいいのかわからなくなって、携帯持った。違う？」

「当たらずとも遠からず。あいつには疲れる。俺の常識じゃどうにもならん」

ほんの少し間を置いて、里奈は「だからいいんじゃない」と言った。

「ノブくんは、ひとりで置いておくといいことないもの。純香ちゃんに手がかかるくらいでちょうどいいと思う。つまんない暴走しなくて済むし」

「予測のつかない生きものみたいだ。暴走なんかしたくてもできないよ」

「猫ちゃんだから、純香ちゃんは。人間のかたちをした猫。ノブくんにとっては言葉が通じないくらいでいいのよ」

諦めの言葉が夜に漂う。里奈も自分も、もうお互いの着地点が見えていた。諍《いさか》いもない。純香を中心にいろいろなことが起こる予感がした。同時に、いろいろなことが消えてゆくのだろう。

「とにかく、俺の生活は一変した。悪いんだけどうちの実家、たまにでいいんで見に行ってみてくれないかな。鍵《かぎ》かけてても、最近は物騒だから」

「わかった。仕事帰りにときどき寄ってみる。季節ごとに風を通しておくね。勝手知ったるなんとかっていうし」

「昼間に時間のあるときでいい。夜はやめとけよ」

実家の鍵を預けた女とのあいだには今後の展望がなかった。パソコンデスクの横にあるカーテンを開ける。川面《かわも》に映った街灯が、水に揺れている。河口に近いので、潮の満ち引きでどちらに流れているのかわからなかった。

「いろいろありがとう」

「卒業式のときと同じこと言わないでよ」

「俺、そんなこと言ったっけ」

「言った。卒業式のとき、教室に戻る途中で」

成長ないな、とつぶやくと里奈がまたからからと笑った。

通話を終え、携帯電話を充電器に差し込む。今夜のうちに、前月の図書館利用統計の集約を終えなければならなかった。企画書の作成には多少のはったりも必要だ。教育委員会と本社への提出日が迫っている。近ごろ日中は古本市イベントのサポートで時間を取られていた。売上げで図書館に本を寄贈しようという試みも、前例がないので承認が下りない。そこを突き崩すのが信輝の仕事だ。資料の整理や納得させる提案といった事務仕事は、どうしても夜になった。今までは何時になろうと職場で終えていた仕事も、これからは持ち帰ることが増えるだろう。純香を一日中部屋に置いておくことはできない。まともな休日も取れなかった一年が過ぎて、ようやく月に一度の休みが取れるようになっていた。休むと調子が崩れるのはわかっていても、昼間に体を横たえてもいい日があるのはありがたい。

ふと気づいて、テレビ台の奥にあるアダルトＤＶＤを取りだした。こんなものが純香の目に触れたら厄介だ。パソコンデスクの下に置いた資料用の段ボールに放り込む。気がかりは、長い出張が入ったときにどうするかだった。札幌周辺の出張ならば連れて歩くこともできるが、一週間単位で東京となると落ち着かない。

純香は三歳で母親を失っている。忽然《こつぜん》と姿を消し、見つかったときは死んでいた。筆を持つときは背中から炎が立ち上って見えるひとだった。生きているあいだは笑顔など一度も見たことがないのに、水からあがった死に顔には笑みがあった。自分たち兄妹の世話は祖母がみていたので、母を失っても大きな生活の変化はなかった。

信輝が筆を持つことを頑《かたく》なに拒否したのは、情のかけらもみせなかった母に対する精いっぱいの反抗だった。暇さえあれば本を読んでいた。母の血は純香に濃く流れている。自分は母の血を活《い》かせるような男の子供ではなかったということだ。父親が違うということは、祖母が死んだ今、誰も知らない。自分たちには最初から父がいなかった。

モニターの前で煙草をもみ消す。

窓辺に立てば、仕事場とほとんど変わらない景色が広がっている。市の避難場所に指定されている建物を管理しているため、責任者は必ず高台側に住むことになっている。地震や津波の警報がでたときは、釧路川に架かる橋はすべて通行止めになる。館長はなにをおいても図書館に駆けつけなければならなかった。なので賃貸料が高いわりに、近所にスーパーもない場所に住んでいる。妹の面倒をみながら生きてゆくという、これからの自分を想像してみた。街灯が煌々と光を放つ大通りには、人影も見えない。車が猛スピードで視界を切ってゆく。ひたひたとした不安が胸に満ちていった。

店員が、背後にあるショールームを示して微笑んだ。

「失礼ですが、ご利用いただくのはあちらのお嬢さまと伺っていたように思うのですが」

「ええ、そうですが」

「実はこの商品は、小学生以下のお子さまを対象にしたものでして、お値段や機能を考えますと、もっとお安くて便利なものがございますが」

「いや、これでいいんですよ」

機能が多いのは純香にとっても自分にとっても負担なのだった。使い方を教えるだけで骨が折れるし、覚えきれるとも思えない。通話先が四箇所設定できれば充分だ。防犯ベルまでついているのだから用は足りる。

店員が信輝のほうに向き直る。信輝は店員の背後にいる妹を見た。色とりどりの携帯電話が並ぶ棚の前で、ひとつひとつ手に取っては遊んでいる。視線を戻すと、店員が気まずそうに頭を下げた。

初対面の相手に自分たちが兄妹であることを説明するのがまず面倒だった。常識から離れたところにいる純香と、十歳離れた兄だ。組み合わせにも違和感があるのだろう。ひと目見ただけではいまひとつ関係性がつかめないのもわかる。目の前にいる店員に限らず、相手が純香の様子を見ながら「あぁ」と合点がゆく姿は、いつも些《さ》細《さい》な屈辱と安心をつれてくる。こんな場面にも平然としていられた祖母を、改めてつよいひとだと思う。

慣れてゆかねばならない。

　店を出る際、純香が遊んでいた棚を振り向き見た。離れた場所から見なくては気づかないかもしれない。携帯電話の色がみごとなグラデーションを描いていた。右上に置かれた濃い色から左下へ、色を薄めながら流れるように揃《そろ》えてある。元に戻すのは大変だろう。思わず吹き出した。胸の奥にあった重たいものが、いっとき宙に浮いた。

　部屋に帰り、急いでベーコンとほうれん草のパスタを作る。文句を言わずに食べるのはいいのだが、妹の反応はいまひとつ鈍い。旨いでもまずいでもない。黙々と食べてはくれるが、作り甲斐《がい》はなかった。妹にそんな反応を求めるほうが無理なのだとわかっていても、湧《わ》いてくる虚《むな》しさはどうにもならない。

　図書館に戻り仕事にひと区切りつけた午後八時。閉店時間ぎりぎりになって駆け込み、登録された携帯電話を受け取った。家に着いたのは八時半だ。あと一時間以内に純香に晩ご飯を食べさせなくてはいけなかった。就寝時刻が十時の人間に生活を合わせるのは難しい。夜八時から九時といえば、今までは仕事の真っ最中だった。昼間できなかった仕事にとりかかり「さあやるぞ」と勢いがつく時間帯だ。舌打ちしたいのを堪《こら》える。まだ二日目じゃないかと自分に言い聞かせる。

　食事のあと携帯電話を持たせてみた。あちこちボタンを押したがるのを止めて、純香の手を取りひとつひとつ説明した。図書館のキッズコーナーで子供を膝《ひざ》にのせて絵本を読み聞かせている母親も、こんな気分なのだろうか。

「いいか、1のボタンの次に緑色の受話器のマークを押すと俺に繋《つな》がる。それでも出なかったら2のボタンを押しなさい。仕事場の専用電話に繋がるから。これは必ず誰かが出る。純香ですって言えば大丈夫だ」

「1と緑色の『斜め受話器』でノブちゃん。2と『斜め受話器』でノブちゃんの仕事場」

「そう、必ず純香ですって言うんだぞ」

「純香です」

「電話が鳴ったときも、この『斜め受話器』を押すんだ。わかったか」

「はい、純香です」

それ以上のことを今すぐに覚えさせるのは無理だろう。とにかく、どこかに繋がれば何かしらの対処はできるはずだ。つまらなそうに純香がつぶやく。

「ノブちゃんとしか、話せないのか」

「ほかに誰か話したいひとがいるのか」

純香は手にのせた白い携帯電話を見ながら「おばあちゃん」と言った。

「そこには繫がらない。純香、無理なんだ。おばあちゃんはいない」

理解したくないのかできないでいるのか、黙って携帯電話を見つめている。

「とりあえず、一度俺の携帯にかけてごらん」

純香の手はちいさく、祖母によく似ている。信輝に母親の手の記憶はない。つよく覚えているのは、筆を持とうとしない息子に向けた苛立ちを含んだ目だった。

純香を見れば、無理強いしなくても筆を持つ子はいつの間にか持っているものだとわかる。母にはそれがわからなかった。自分の産んだ子ならば、筆を持ってしかるべきと信じているようだった。自ら命を絶ちさえしなければ、純香を育てる喜びを得られたろう。母なら、純香をまっすぐ受け入れることができたのではないか。

そして自分も、こんな思いをせずに済んだ。

細い指先が1のボタンと受話器のマークを押した。信輝の手の中で携帯電話が振動を始める。着信画面を見せる。『純香』と表示された画面に、素直に喜んでいる。切る様子はない。目の前にいる妹からの電話を受けた。

「ノブちゃんですか」

「はい、そうです」

「今日はいい日でしたか？　純香はとてもいい日でした。どうぞ」

「純香、これはトランシーバーじゃないよ。携帯電話だ。なにか困ったことが起きたら、かならず連絡を寄こすこと。わかったかい」

「いい日でしたか」

わずかに空いてしまった間に慌《あわ》て、「いい日でしたよ」と応える。

「龍生先生は、純香と一緒にお仕事がしたいそうです、どうぞ」

妹がなにを言っているのかすぐには理解できなかった。誰のことだろうと考え、ようやく秋津龍生だと気づく。電話を切り、妹の顔を覗《のぞ》きこんだ。

「純香、秋津先生に会ったのか」

「図書館に遊びに行ったら、また会いました。純香にお習字の先生を手伝ってほしいそうです」

「ほかにどんな話をしたのか、教えてくれないか」

純香は耳に携帯電話をあてたまま言った。

「龍生先生は、中国でお勉強したそうです。向こうのおじいさんおばあさんは、道路に字を書いて遊ぶそうです。わたしも中国に行ってみたいです」

路上で楽しそうに筆を持つ老人たちを思い浮かべた。秋津の言葉が蘇る。

『妹さんをわたしの教室にお招きしたいんです』

純香の言葉がきっかけになり、いやなことを思いだした。数年前の正月休みだった。純香が眠ったあと、御神酒《おみき》のために開けた四合瓶の残りに燗《かん》をつけながら、祖母が言った。彼女があんなに心細いところを見せたのは、あの日が最初で最後だった。

「信輝、ちょっと相談にのってくれるかい」

「なに、あらたまって。俺でどうにかなることなら、なんでも言いなよ」

「純香のことなんだよ」

そのあとの話は思いだしたくもない。懸命に言葉を選ぶ祖母がかなしかった。

「あんまり外に出さないのもどうかと思ってね。近所にできたスーパーでアルバイトをさせてみたんだ」

一日三時間ほどの、商品の運搬や並べ替えといった簡単な仕事だった。純香は商品を並べる際に、妙な力を発揮したという。色や大きさごとに見栄《みば》えよく並べる能力は、職場で重宝がられた。そのあたりはだいたい想像ができる。問題はそのあとだった。

「わたしたちにとっては子供みたいな純香も、あの子の姿かたちしか見えない人間にはそんなこと関係なかった。二十歳の娘だもの。考えれば哀れでしかないし、わたしも現実がよく見えてなかった。すまないことをしてしまった」

祖母が言うには、純香はスーパーで働く男たちの「玩具《おもちゃ》」になっていた。中年の女性パートタイマーが家を訪ねてきてわかったことだった。その女は、純香に対して誰がなにをしたのかまでは言わなかった。

「たまたま目にしたので黙ってはいられなかったって、そう言うんだよ」

傷を傷と認識できない純香が受けた扱いは、想像したくもなかった。それなりの年《とし》嵩《かさ》もあるだろう女が、なぜ職場で問題にせず祖母に耳打ちなどしたのか。信輝の憤《いきどお》りは「純香のためと思い事実を告げにきた」という女の、保身と偽善に向けられた。燗酒も喉《のど》をとおらなかった。深く息を吐き出したあとは、吸い込むしかない。祖母は自分がいなくなったら、と言葉を詰まらせた。

ひとり娘が溺死体《できしたい》で見つかったときも、祖母はひとつぶの涙もこぼさなかった。両手に孫を抱き寄せ「おかあさんはやっと楽になったんだよ、喜んであげなさい」と言ったひとが、純香のことでは涙を流していた。祖母の、かっぽう着にぽたぽたと落ちる涙から目を逸《そ》らした。誰に向ければいいのかわからぬ怒りが胸に満ちていた。

「わたしがいなくなったあとは、純香を頼めないかね」

当時の信輝は、ただうなずくことしかできなかった。

「ねぇ、いいでしょう」

不意を突かれて慌てた。

「いや、すこし待って。秋津先生と、いちどちゃんとお話ししてからだ。いいね。勝手に決めちゃだめだよ」

「はい」聞き分けはよかった。里奈が言った「猫ちゃんだから」という言葉が苦い記憶に繋がる。持たせた携帯電話が祖母に繋がらないことを、純香にわかるように説明するのは難しい。無理だと言い聞かせても不満そうに唇を尖《とが》らせるだけで、目が納得していなかった。

午後十時、寝間着に着替えた純香がドアの前で一礼する。

「おやすみなさい」

おやすみ、と返す。うらさびしい思いが溜まってゆく。腹いっぱいに積み上がったあと、このさびしさが見せる景色はどんなだろう。信輝はひとりになったリビングで、パソコン用の椅子に浅く腰掛けた。

秋津はなにを思って純香に近づいてくるのか。

純香のアルバイト先での話や祖母とのやりとりを思いだすと気が滅入《めい》る。

図書館ボランティアの代表に相談して、読み聞かせや託児の手伝いをさせてはどうだろう。無償であれば、図書館に出入りさせる方法はいくつかある。そこまで考えて、頭をかかえた。仮に読み聞かせの会で面倒をみてもらったにしても「図書館長の身内」を預けることで仕事の関係者に妙な借りをつくるのはいやだった。公私混同は避けたい。いかなる事情があるにせよ、だ。いやな保身だ。祖母に純香の状況を報告しにきたパートの女と、どこが違うのか。結局、今の自分は純香のことよりも立場を優先させたいのだ。

秋津龍生の顔が浮かんだ。同時に彼の妻も眼裏《まなうら》に滑り込んでくる。

秋津は紙と墨しか目に入っていないような男だった。明るい野心家の焦《あせ》りや悩みは、本人が隠そうとすればするほどその身からこぼれ落ちていた。対して秋津の妻から受けた印象は、底のない暗さだった。夫の横で微笑みながら、どこか冷めている。同じように微笑んでいるのに、夫婦から受ける印象はまるで違った。

秋津の妻を見たとき、誠実そうな瞳で心から嘘《うそ》をつける女だと思った。根拠はない。ただの勘だ。稀《まれ》にそんな女に出会うことはあるが、信輝の知る彼女たちの多くは夜の街にいた。秋津の妻がとりわけ派手に見えるというのではない。服装は地味だし化粧も薄い。なのになぜか彼女から漂ってくる気配は虚と実を手のひらで転がしている女たちに似ていた。高校の養護教諭と聞いて、驚いた顔をしないよう気をつけたくらいだ。

道立釧路西高校。

秋津龍生の妻が勤めるという高校から、講師に呼ばれたことがある。図書館の持つ可能性と民営化について、一時間ほど話した。生徒たちは、お世辞にも熱心に聞いているとは言えなかった。自分の話しかたもまずかったのだろう。どこも低予算だ。無報酬で引き受ける人間にお鉢が回ってくるのは当然だった。講演先に出かけるときはいつも腹をくくった。依頼のほとんどが年間の行事予定消化のために設けられた文化講演だった。どこへ行っても後味が良かったことはない。

図書館の民営化は、話題になってからすぐに反対の声があがった。指定管理者制度導入の段階で抗議団体が発足し、マスコミも餌《えさ》の新鮮さに飛びついた。誰も事情などわかっていなかった。「民営化」という言葉だけがひとり歩きしていたのだった。

新館長が地元入りした際、好意的な態度だったのはごくわずか。あからさまな抗議や反対運動をくぐり抜け、無事走り出してもまだ、しこりがすべて消えたとは言いがたい。

人員と経費削減のために市が取った方法が公平かどうかは、こちらの与《あずか》り知らぬところだ。良い噂《うわさ》も悪い噂も、噂でしかない。好意的な意見はあってもそれがまるごと援護ではない。なにもないところからの出発だった。状況としては嫌いじゃない。わかっていてやってきた。講演会は、逆風をすこしでも和らげようという、自分なりの広報活動だった。秋津の妻はあの日も西高校に勤務していたのだろうか。思考がいつの間にか秋津伶子に流れていた。

養護教諭なら、純香のことについて専門的な知識があるのではないか。

そんな考えが浮かんだのは真夜中、イベントのパンフレット作成を終えたときだった。パソコンデスクの棚に置いた時計は午前二時を指している。

デスクライトを消して、カーテンを開けた。煙草に火を点ける。深く吸い込むと、煙草の先が幣舞橋から向こうに続く街灯と同じ色になる。ひと息吸うごとにこちらに近づいてくる。街灯は今夜もひと気のない目抜き通りを照らしている。人のいない場所を照らす光に妙な親近感が湧いた。左の中指でこめかみをつよく押した。瞑《つむ》った目の奥で、秋津の妻が信輝を見ていた。

翌日の午前と午後、一階の展示室を覗いたが秋津龍生の姿はなかった。

ロビーの壁に貼《は》ってある読書会のポスターのめくれを直した。ガラスの向こうに視線を移す。薄い雲がひと刷毛《はけ》走っているが、空は青かった。

パソコンで『西高校』を検索してみた。昨夜は真夜中に自宅で「秋津伶子」の職場を検索することに、多少のためらいがあった。人の妻だから、と思った。男の内側には常にどうでもいいような「いいわけ」が詰まっている。どうでもいいことに気づいているのだから余計始末が悪い。

「頭が痛いな、寝不足だ」

つぶやくと、モニターの向こうから塚本由紀《つかもとゆき》がこちらに視線を向けた。なんとなく自分に気があることはわかっているが、知らぬふりを決め込んでいる。職場を円滑に回してゆくには、異性の思惑に鈍感な館長でいる必要があった。女ばかりの職場では、男の部分を極力薄めて接するようにしている。塚本由紀の大人びた顔立ちは悪くなかった。本人は同姓同名のＡＶ女優がいることを気にしている。性格はやや内向的だが、仕事をさせると妙な存在感を発揮する。地元ラジオでの新着図書紹介や掲示板、ホームページに寄せられる質問や感想へのユーモアある回答。片腕としては申し分なかった。が、女の棚には置いていない。彼女は部下だった。

いかなる職場でも異性問題を起こさないことは大前提だろうが、男性職員のほとんどいないここでは最大の課題だ。とび抜けて好かれても嫌われてもいけない。自身が他人に与える印象を把握しているという点ですでに人として狡猾《こうかつ》なのだが、信輝に求められているのはその狡猾さなのだった。

付箋紙《ふせんし》に西高校の電話番号をメモし、胸ポケットの携帯電話に貼り付けた。誰に言うでもなくもういちど「頭が痛い」とつぶやき、応接室に入って奥の扉を開けた。視聴覚ホールに繋がる、通称「楽屋」に入る。

幅二メートルほどのひょろ長い舞台裏は、応接室と同じ景色を抱えているのに公《おおやけ》にされることがない。どうしてそこに煙を吸い込む大型の灰皿があるのか、見るたびに笑った。前任か前前任かは知らないが購入した人間を責めることはできない。ここは全館禁煙を謳《うた》った建物にあって、追いやられ沈黙を守っているうちに存在がはみ出してしまった場所だった。灰皿は備品欄にもないし、むろん誰の私物でもない。存在感薄く、河口の景色を見下ろしている。

陽が沈み、黒っぽい景色にオレンジ色の街灯が灯《とも》り始めていた。

備品から外した古いソファーに腰をおろした。自宅と同じ景色を視界に入れて、携帯電話を取り出す。西高校の電話番号を打ち込んだ。

気づくと携帯電話から浮いた指に煙草が一本挟まっていた。

3

半開きの欲望に触れた。

堪える吐息のぶん、内側が湿る。ひりついている。触れたいのは安堵《あんど》なのだろう。旋回しているのが指なのか欲求なのか、輪郭は曖昧《あいまい》だ。面倒を避けているつもりが、更に面倒な場所へと思考を滑り込ませる。

欲望はとても正直だった。伶子は自分がまだその正直さに振り回されていることに気づき失望する。視界が狭くなっている。わかっている。

内側に澱《おり》として溜《た》まり続けている厄介ごとを、すくい上げ外に出し、いっとき呼吸させて、再び内側へと戻す。鬱積《うっせき》を逃れる。欲望に触れながら、今日あったことや明日起こりうることを思うのは面倒だった。面倒なくせに、逃げられない。

一気に駆け上がり、上下も左右も重力さえもない白い世界を見たい。早く見たい。

伶子は吐息をゆっくりと吐く。あぁ、と思う。自分は欲望の行き先も、指先の動きもすべて知っている。これは夫でもない、ほかの誰でもない、自分の意識だ。快楽の、出口も入口も自分なのだった。

のぼりつめないことに対する安心と苛立ち。相反するねじれた心地よさ。自分はもう、この指先に飽き飽きしている。急速に萎《な》えた。

螺旋《らせん》階段の途中ではたと立ち止まり、諦《あきら》め、手を引く。

隣で秋津が寝返りを打った。マットレスの揺れに息を潜め、背中で夫の様子を窺《うかが》う。身を固くしたまま、夫の寝息を確かめる。眠気が消えていた。

急に冴《さ》えてしまった意識に、今度は堂々とため息をついた。夕刻にかかってきた電話のことが頭をかすめた。図書館長の林原だった。

相談があるんですと彼が言った。自分にできることであればなんでもと応じた。誰に対しても、いつでも同じように返している。周りの人間はいつだって、医者に相談するほどではないが、医療知識がある人間に訊《たず》ねたいことを抱えている。それを煩《わずら》わしいと思ったら、人間関係に限らず仕事を放棄しているのと同じだ。市内で信頼のおける病院を教えてくれ、という相談などいつものことだった。心配ごとは、言葉にして誰かにうちあけるだけで半分は解消される。

林原信輝も同じなのだろう。自分からかけてきたくせに、すぐに切りたがる。おかしなひとだと思いながら、その顔を思いだそうと目を瞑った。

「お仕事中にすみません。お忙しいようでしたら、また後ほどかけなおします」

「いえ、大丈夫です。先日はご挨拶《あいさつ》もそこそこに失礼いたしました」

林原信輝を見たのは、図書館が初めてではなかった。去年の秋に学校の文化行事で講演にやってきた。職員に案内されながら体育館へ向かう彼と、すれ違う際に会釈《えしゃく》を交わした。覚えてなどいないだろう。

いつまでも続きそうな挨拶と謙遜《けんそん》を繰り返したあと、ためらいの残る口ぶりで彼が言った。

「実は妹のことで、ちょっと」

「妹さん、ですか」

林原に妹がいるというのは初耳だった。新聞のコラムから独身だということがなんとなくわかるくらいで、私生活に興味を持つような相手でもなかった。

「ええ、先日お勤め先を伺ったものですから」

会話の流れにはなんの引っかかりもなかった。しかし林原の言葉はそこで止まった。少しの間をおいて「あぁ、やっぱり」と彼が言う。いったい何について「やっぱり」なのかわからない。

「すみません。お電話する前にもうちょっと考えるべきでした」

相談内容を言いあぐねているのだった。彼の置かれた状況が重たく感じられ、伶子も身構える。林原は一度挨拶しただけの養護教諭に、してもいい相談であるかどうかを迷っているのだ。保健室にやってくる生徒たちも、よく似た言葉の詰まらせかたをする。沈黙が続いた。声を落として語りかける。

「遠慮なさらず、どうぞ」

こういうことには慣れています、という言葉をのみ込む。受話器の向こうで呼吸を整える気配のあと、林原は再び謝り「実は」と話し始めた。

「先日、秋津先生の個展会場でお会いした日に、道央から妹を呼んだんです。親代わりの祖母を亡《な》くして、放ってはおけない状況になったものですから」

「妹さんって、おいくつなんでしょうか」

「二十五です」

今度は伶子が黙り込んだ。何を言おうとしているのか、先を急がせてはいけなかった。半分世間話だった会話が、つよく仕事へと傾いた。少し――、と彼が続けた。

「社会に出すには、難しい子なんです。僕は早くに実家を出ていて、妹の様子を直接見ないできました」

いざ一緒に暮らし始めてなにもかもに戸惑っている、と彼は言った。電話ですべてを把握できるような内容ではなさそうだった。林原の私生活に立ち入ることをためらいつつ、伶子は急いで彼の相談ごとに「仕事」という理由をつけた。

「帰宅が早めの日に、図書館に寄らせていただいてもよろしいでしょうか。お電話だけでは状況もつかめませんし。お急ぎならおっしゃってください」

「お忙しいんじゃないですか。とても面倒な相談を持ちかけているということはわかっているんです。正直、こういう話をできる人間を身近に持っていない自分が悪いんですけれど」

「あまり身近だと、話しづらいものでしょう。仕事柄わたしはそういう役どころなので、どうか気になさらないでください。近日中に参ります。行けそうな日にお電話で連絡を入れますが、それでもよろしいですか」

林原は最後まで恐縮していた。新聞コラムの文章から受ける軽妙な印象はなく、次の言葉を選ぶのに少し時間のかかる、木訥《ぼくとつ》な気配が残っている。対外的に見せる顔と、内側に持つものとに乖離《かいり》のある男なのかもしれない。乖離、と伶子は胸奥で繰り返す。外と内が同じひとなど、この世にいるのかと問う。そして横で眠る夫を思う。限りなく内面と外面の差がないひと。自分は彼のそんな部分に惹《ひ》かれたのではなかったか。秋津の持つ純粋さに対するあこがれとわずかな疎《うと》ましさ。伶子はいつもそのふたつのあいだで揺れる。揺れているあいだに、夫が持つ男の部分に流され続けている。秋津の妻になろう、この男と一緒に流れようと決めてから十年が経《た》っていた。

寝返りを打った。

見上げた暗い天井に、明日を占えるような木目を探してみる。そんなものを欲すれば苦しいだけだとわかっていて探している。

結局自分は暇なのだろう。あれこれと考える隙間《すきま》があるということだ。仕事、夫婦のこと、姑《しゅうとめ》の介護。なにかひとつでも懸命に取り組むものがあれば考えずに済む。どれも中途半端《はんぱ》ゆえに、眠れない夜が続いている。眠らなくてもよいくらいに体が暇で、もしかしたらここよりも居心地のよい場所があるのではないかと心の隅で疑っている。

個展の初日に夫と一緒に見下ろした駅前通りの街灯にも、明日を照らすほどの光を感じることができなかった。秋津とふたりで流れているだけだ。これでいいと思っている日常が果たして平穏なのかどうか、考えればきりのない迷路が待っている。

さて、いつ図書館に寄ろうか。眠気はもう届かぬほど遠くへ押しやられていた。林原信輝の相談や、夜が明けたらまとめてゴミ置き場へ出さねばならぬ姑の汚物のことが心を占めてゆく。眠れなくなって、どのくらい経つだろう。年齢からくる不眠症状ということで折り合いをつけている。いつか自分に対するつまらないいわけも通用しなくなるときがくるのだろう。気持ちのどこかでそのときを待ち、自分が何を選び取るかに期待している。

胸奥の天秤《てんびん》は常にちいさく左右に揺れ続けており、頼りない均衡を保っていた。

去年定年退職した先輩のひとことが脳裏を過《よ》ぎる。

「この年になると女の体はいろいろあるのねぇ。ひとりでいるのも自分で選んだことだし、他人が思うほど孤独でもなければ優雅でもない。わたしとしてはうまいことやってきたと思うのよ」

定年を迎えるまでの数年間は闘病生活だった。独り身で通した理由を聞いたことはない。仕事も恋も、生きることへの執着も詰まっていたはずの日々を、ときどき羨《うらや》ましく思うときがある。

すべて自分が選んで責任を取る。仕事を続ける限り、ひとりで生きていけることのさびしさを謳歌《おうか》できる。ひとりで枯れてゆける。ひとりで眠り、ひとりで目覚める。自分の内側にも「ひとり」を欲する性質が眠っているのだろう。秋津と結婚しなければ、おそらく今も孤独を楽しんでいるのではないだろうか。

秋津に出会うまで、結婚というかたちになんの期待もしていなかった。相手に妻がいてもいなくても同じ。好きか嫌いかでしか動けなかった。古い友人には「恋愛に関する弁が壊れている」と呆《あき》れられ、伶子の日常は奔放という言葉で語られることが多かった。

思えば実家から列車で五時間という、誰も知る人のない土地への就職にためらいがなかったことも、心身の温度の低さからだ。人にも物にも「入れ込めない」性分は、ひとつカウンセラーを含む仕事にずいぶん役立っている。仕事が苦にならないのは、ひとつひとつの相談ごとにいちいち引っ張られないせいもある。

横で眠る夫は妻の長い夜を知らない。伶子の思考は同じところをぐるりとひとまわりして元の場所へと戻る。そして道東の、早い朝がやってくる。

図書館を訪ねたのは、林原の電話があった翌週だった。

「すみません、呼びつけるようなことになってしまって」

「帰宅途中ですし、気になさらないでください」

通されたのは四階の執務室だった。天井の高いがらんとした部屋だ。部屋の半分には明かりも点《つ》けられていない。隅に五人分の机が身を寄せ合うようにして並んでおり、そこにだけ蛍光管が白茶けた明かりを落としている。個展の礼を言うと、かえって恐縮してしまった。期待したほど入場者がいなかったのは誰のせいでもない。伶子はすぐに話題を変えた。

「閉館時間がずいぶん延びましたよね」

「ええ、民間ですから」

去年体育館で図書館業務の民営化について語っていた際の、気負いのようなものは感じられなかった。そのぶん疲弊してもいるのだろう。人あたりの柔らかさは、もともと持ち合わせたものだろうか。それともこの街で身につけた彼なりの処世術だろうか。

広い執務室の隅に使われていない机が寄せられていた。ざっと数えても十以上ある。市内の養護教諭会議で二、三度図書館の会議室を利用したことがあった。貸し出し、返却のカウンターや地域資料の部屋、図書館利用者がやってくる場所には笑顔の司書や動きのいいスタッフが配置されている。久しぶりに館内をひとまわりしてみて気づいたのは、仏頂面《ぶっちょうづら》の職員がいないことだった。ここにかつて「図書館名物」と言われるほど愛想の悪い職員がいたことは知っていた。子供たちには恐れられ、大人たちは敬遠する。それが秩序だった時代もある。

怜子が驚いたのは、館内の管理と行事の運営がこの部屋にいる数人のスタッフによって支えられているという事実だった。民営化される前は五人でできる業務に対し、余っている机の数だけ人材が投入されていたのだ。財源を圧迫するのも当然だろう。

怜子は改めて、林原信輝に課せられた責任を思った。本人が涼しそうな顔をしていることが余計に、風あたりの強さを想像させた。

執務室の奥にある応接室に入ると、正面の窓に先日秋津と眺めたのと同じ景色が広がっていた。足が止まり、恐縮するタイミングを逃した。

応接椅子《いす》に腰掛け、夜景に背を向ける。

「毎月のようにあるイベント、あの人数で準備されてるんですか」

「案外ものごとが早く決まるし、これはこれでいいものですよ」

最初に電話をかけてきたときのためらいなど忘れているような笑顔だ。怜子も自分が図書館に来ることとなった経緯を忘れそうになる。背筋を伸ばした。彼の眉根《まゆね》が寄る。

「お忙しいところ、本当にすみません」

「妹さん、今はどちらに」

「家におります」林原は目を伏せた。

怜子の帰宅が三十分遅れれば、そのぶん夕食の時間がずれこむことになる。七時を過ぎそうなときは秋津がなにか簡単なものを用意するという暗黙の了解はあるが、今日は帰宅時間について連絡を入れていない。ここでのんびり世間話をしている余裕はなかった。

こんな場合は誰に限らず、相手の言いたいことを辛抱づよく聞くのがいちばんだったが、彼の様子を観察するのも、どこか目線が上からであるようで気がとがめた。

林原は慎重に言葉を選んでいる。身内の症状を希望的観測を排除して語るのは難しい。しかし妹の言動を目にした際のとまどいを語る彼は、断片的だが決して伝えるべき箇所を間違ってはいなかった。

「何冊か本を読んでみればいろいろと符合することも多いんです。なんとなくわかっているんですが、病院やしかるべき施設に相談ということはしていません」

おおよその状況は把握できたし、予測される診断もある程度まで想像できた。

話し終えた林原の表情がほぐれ、柔らかくなった。照れ笑いとは違うようだ。怜子を呼びつけたことへの責を果たし、安堵しているようにも見える。それで、と彼が言葉を切った。

「毎日家に閉じ込めておくのも、どうかと思うんです。放っておくと判で押したみたいな生活になります」

延々と自身のこだわりに従って動く人間を見続けるのは、健康な人間には苦痛だろう。伶子は林原を、健やかで誠実な男だと思った。ふと、姑と四六時中同じ家にいる秋津のことが胸をかすめた。伶子は急いでそれを振り切る。カウンセラーに徹するため質問を続けた。

「妹さんはなにか、特技をお持ちじゃないですか」

「特技ですか。どういう意味でしょう」

「もしかしたら、人よりとても優れた能力をお持ちではないかと思ったものですから」

優れた能力、と言ったきり林原の唇が動きを止めた。

「ほんのちいさな、林原さんにとってはあまり意味あるように思えないことも含めて、妹さんならではのこだわりを感じることはありませんか」

わずかにためらいの表情を浮かべたあと、彼の視線が伶子に向けられた。

「妹は、すこし書道をやるんです。見ているとどうも、もののかたちや色や配置に興味が集中している気がします」

大小さまざまなパズルのピースが意識の中へと集まり始めた。

秋津が言っていた「面白い子」というのは、林原の妹ではないか。図書館、書道、面白い子、二十五歳、女性。個展初日に放たれた、大胆な意見。林原が並べた単語と夫が抱いた印象が、凹凸をかみ合わせながら繋がり始める。伶子の脳裏に若い女の像が立ち現れた。

林原の視線が伶子の肩越しの景色へと向けられた。ゆっくり体をひねる。川面へ、街灯が触手を伸ばしていた。ひと呼吸。伶子は林原のほうへ向き直る。

「妹さんが能力を発揮できる場所に置いてあげるのも大切なことかと思います。集中できるものが書道というならば、うちの夫もなにかお役にたてるんじゃないでしょうか。これもなにかのご縁だと思います」

何気なく放った言葉のあと、林原の眉間《みけん》に軽く皺《しわ》が寄った。了解なのか不快なのか、恐縮しているのかどうかも、その様子からは読み取れなかった。

林原純香が秋津書道教室にやってきたのは、伶子が図書館で相談を受けた週の土曜日だった。

「こんにちは、純香です」

「初めまして、秋津の家内です。助手の件、引き受けてくださってありがとうございます」

「純香です。よろしくお願いします」

玄関に現れた彼女は、兄の心配もうなずけるほど澄んだ瞳《ひとみ》をしていた。少女のようだがそうではない。美しいのだがなにかが違う。林原が言うように「二十五歳という年齢に心の成長が追いついていない」のは、その瞳からも伝わってくる。伶子が彼女に抱いた印象は、年齢なりの色香とは無縁の、性別さえどこかに置き忘れてきた無垢《むく》な透明さだった。

秋津と相談して純香には「書道教室の助手」を頼むことにした。助手というかたちで子供たちと接する時間があれば、林原の心配も純香に周囲が覚える違和感もある程度までは薄めることができると考えた。

個展でお世話になったことだし、という伶子の提案に、秋津は驚きを隠さなかった。自分が言っていた「面白い子」というのはその子のことだと、あっさり認めた。林原が直接伶子に連絡を取ったことを不思議には思わなかったようだ。秋津の興味はそんなことよりも純香へと注がれている。夫の、透けて見えそうな心根や人としての素直さは、荒っぽいくくりかたをすれば純香の持つ純粋さに近い気がする。欲望に忠実で、周囲を戸惑わせる。周りの思惑より、理性より、本人にも説明のつかない優先順位があるのだ。

羨ましいと思う反面、さぞ生きづらいことだろうとも思う。純香を前にして高揚している夫を見ても、伶子の心が上下することはなかった。

「僕は、教室には少しずつ慣れていってもらえればいいと思っています。今日は土曜日なんで大人と子供が半々くらいかな。純香さんには子供たちのほうをお願いできたら嬉《うれ》しいです」

声のトーンが違う。

秋津も伶子も、純香が個展の際に出会った「面白い子」であることは承知している。妻が持ち込んだ話というだけで、秋津と純香の出会いには「妻の了解」という免罪符ができた。

純香の様子を見ると、林原が持っている今後に対する不安が理解できそうな気がした。ふと、夫と純香の出会いに公の許可があると同時に、それは自分と林原にもあるのだと気づいた。

向こう側の住人。

純香に抱いた印象が林原を思い浮かべることで、こんな場面には多少慣れている伶子の気持ちを波立たせた。薄く開いた胸奥の傷口から、なにかが沁《し》みだしてくる。不安というには少し生々しい感触だ。少し力を込めれば赤い血が吹き出す場所があるのに、確かめるのをためらっている。一方で純香の澄んだ瞳に傷ついた人間がどのくらいいるのか考えてみる。林原の面影をゆっくりと胸から追いだした。

週末は午前十一時から午後三時まで教室を開いている。そのあいだに伶子が台所仕事や溜まり気味の家事を片付け、家の掃除をする。ここ数年変わらない風景だ。テレビは朝から晩まで点けっぱなし。リモコンは姑が握ってはなさない。

光熱費に限らず生活全般にかかる金について、伶子が秋津に節約を訴えたことはなかった。突き放しているわけでも、諦めているわけでもない。伶子自身は、自分がそうした生活に対する女性的な細やかさを持っていないせいだと思っている。秋津母子の生活を支えていることも、彼の妻という立場も、どこか他人事《ひとごと》のように感じている。

一緒に暮らす人間に抱く距離を、最近は縮めようと思わなくなっていた。どう突いても、どこを切っても、ひとはひとりという思いが胸を離れなかった。

二階の寝室から階下まで、隅々に掃除機をかける。窓を開けているが、掃除機の排気口からでる埃《ほこり》っぽいにおいが気になった。もうそろそろ買い換えどきなのだろう。最初にそう思ってから二年以上経っている。経済的に楽な生活ではないが、掃除機を買えないほど困窮しているわけでもなかった。

気になり始めてから二年も放っておけることが、そのまま自分の情の薄さに繋がっている気がした。秋津母子に尽くす妻に見えるのも、この情の薄さが見せる影絵のようなものだろう。

掃除機を階段下の納戸《なんど》に仕舞いひと息つくと、姑が伶子を呼んだ。

「れぇこさぁん、ごふじょう、ごふじょう」

姑は、近くに秋津がいるときはもっと弱々しい声で息子の名を呼ぶ。甘えた声でおむつの交換をねだる。伶子しかいないときは、体重をすべてこちらにあずけてトイレへ立ち便器に座ろうとする。週に一度か二度のことだと思ってつき合っていた。彼女の、自由のきかない左側の腕を肩にかけて歩行を助ける。ほとんどの体重が伶子の体にかかる。なぜか姑をトイレに連れてゆくたびに、掃除機を買い換えていないことを思いだした。

家計を支えることで伶子が得ているのは、姑の介護からの解放だった。こんなこと四六時中は無理だ。週に一度ならば優しくできる。

寝間着と紙おむつを膝まで下ろし、便座に座らせた。

「はい、お義母《かあ》さん。どうぞ」

座ってしまうとすました顔でドアを閉めろと言う。済ませたあとの尻《しり》は拭《ふ》かせるのに、おかしなことだった。姑は息子に向かっては「ご不浄」という言葉を使わない。トイレに間に合いそうなときも、あてている紙おむつに用を足し、交換させる。指摘すればしばらく機嫌が悪いだろう。黙ってつきあっている。

元気だったころは隠していられた感情も、自由のきかなくなった体では苛立《いらだ》ちが先に立つのだろう。不思議と怒りも覚えない。姑は自由のきかない体のどこかでまだ「女」なのだと思う。秋津に対してのそれは、もしかしたら自分よりもつよいのではないか。背筋が寒くなるような思いは、夫への深い同情へと繫がった。

午後三時を過ぎて最後の生徒を見送ったあと、純香が台所にやってきた。「おつかれさま」と声をかける。

お茶の用意を始めた伶子の背後で、彼女が言った。

「伶子さん、今日はありがとうございました」

名前を呼ばれ驚いて振り向く。純香の後ろで秋津が照れ笑いなのか目を細めている。下唇を軽く嚙《か》んで、弱ったという顔つきだ。

「きみの名前を教えてくれって言うもんだから」

「ちゃんとお礼を言いたかったのよね。こちらこそありがとうございます。今お茶をいれますね」

「帰ります。終わったらノブちゃんに電話することになってます。電話をさせてください」

伶子が電話の子機に手を伸ばすのと同時に、純香がフリースのポケットから白い携帯電話を取りだした。ひと目でそれとわかる子供用の機種だった。

「ノブちゃんですか、純香です。今、終わりました」

兄と妹のやりとりは、数秒で終わった。純香は秋津と伶子に向かって深々と頭を下げる。

「ノブちゃんが待っているので、図書館に行きます」

礼儀として、だされたお茶に手をつけるという感覚はないようだった。秋津が純香に向ける視線は、姑に注がれるそれと似ている。伶子はちいさくため息をつく。四十歳の声を聞いてから、自分を含め人の心に浮かんでは消える感情に興味が薄くなっていた。飽きるというのとも違う、名付けるのが難しい曖昧な感覚だ。

「じゃあ、次は火曜日の三時に。なにか都合が悪くなったら僕に電話をください」

玄関先まで送りにでた伶子に、純香は再びポケットから携帯電話を取りだした。パンダのストラップが揺れている。携帯電話を突きだし、真剣な顔で言った。

「伶子さん、三番のボタンにお教室の番号を入れてください。都合が悪くなったときにお電話します。秋津先生は機械が苦手だそうです」

夫は携帯電話を持っていないし機械操作も苦手でパソコンも使わない。家の電話番号を登録するのはいいのだが、林原に了解を取らずにしてもいいことなのかどうか考えた。伶子は秋津に目で問うた。

「そのとおり。機械は苦手なんだ」苦笑いだ。

「純香さん、お兄さんに相談しないでわたしが勝手に登録してもいいのかしら」

「おばあちゃんに電話をかけるのは無理なんです。だからお願いします」

子供用の携帯電話を挟んだ兄と妹のやりとりを想像してみる。伶子は純香の携帯電話を受けとり、登録を済ませた。

「このパンダのストラップ、かわいいわね」

「そうです。この世でいちばん美しい配色です。こんな美しい生きものはいません」

純香は得意げに言った。

玄関でお辞儀をしたあと、彼女は図書館のほうへと歩き始めた。純香を見送ったあと、伶子は秋津に訊ねた。

「送らなくてもいいのかな。ちょっと心配」

「これも館長が考える学習の一環じゃないかな。違うだろうか」

秋津の小鼻がわずかに膨らむ。先日、林原の相談を伝えた際と同じ表情をしていた。

夕食は冷凍しておいたホワイトソースを使いグラタンを作った。柔らかめに炊《た》いたご飯を少しと梅干しを添える。我ながらおかしなメニューだ。介護ベッドの背を起こして姑の口に運ぶ。姑の右手にはリモコンが握られていた。自分で食べようという気配はない。それが彼女の、思うに任せない自分の体や息子や嫁に対する感情表現なのだろう。

伶子がお盆を持って台所へ戻りかけると、姑がリモコンを床に放った。新聞を読んでいた秋津が駆け寄り、母親の手にリモコンを戻す。もういちど放った。三度同じことを繰り返したところで、息子も観念したようだ。今夜ひと晩、夫はソファーで眠ることになる。姑を中心にした毎日を眺めているのは秋津と伶子のふたり。誰もこの家で起こっていることや姑にもたらされた不条理を説明できる人間はいない。

おかしい。

自分たちはこの、たったひとことで済む現実に幾重も緩衝材を巻いて暮らしている。

林原純香の澄んだ瞳に、この景色はどう映るだろう。洗い物を終えて覗《のぞ》き込んだ鏡に、笑い顔が映っている。蛍光灯の光を受け、青白く嫌な笑みだった。

入浴後、体にバスタオルを巻いて髪を乾かしていると、秋津が脱衣室に滑り込んできて伶子の背後に立った。洗面台の鏡に映る夫と目が合う。なにかを問う間もなく、夫の手がバスタオルの裾《すそ》から滑り込んだ。

ドライヤーを洗濯機の上に置いた。胸元に差し込んだバスタオルの角が弛《ゆる》む。鏡の中で、秋津が伶子の右肩を噛んだ。

伶子は顔を洗面台へ近づけた。つよく腰を引かれ、両腕を台の縁にかける。夫の指先の動きに一歩遅れ、ひかえめな欲望を与えた。両脚を開き腰の高さを合わせる。排水口へ吐息が流れてゆく。波打ちそうになる背中から、体温が逃げる。夫の指先から生まれた熱を内奥に溜めた。洗面台の白い陶器から、何度も吐息が跳ね返ってくる。荒っぽい欲望が更に伶子の熱を奪った。声が漏れそうになる。堪《こら》えた。

ドアの向こうには姑がいる。テレビの音量を気にしながら息を吐いた。

ときおりこんなふうに伶子の不意を突いて秋津が肌を合わせにやってくる。それは伶子が欲しているいないに関係なかった。予定がなくても吐息は漏れる。馴染《なじ》んだ肌も欲望も、より多く要求に応《こた》えようと膨らむ。体はここにあるが意識は秋津に搦《から》め捕られ、遠い場所へと向かう。

自分たちには与えあう体があった。十年という月日は、ふたりの関係にとても優しかった。

寝室を暖めるため二階へ上がった。伶子は部屋の隅に置いた机の前に立ち、ノートパソコンを開いた。先に部屋が暖まりそうなくらい起動に時間がかかる旧型だ。秋津への誕生日プレゼントだったが、いつの間にか伶子しか触らなくなっている。調べ物やメールチェックにも時間がかかるし、すぐに熱を持つので長時間の使用は無理だ。仕事場での連絡や管内に散る養護教諭の会からは職場のアドレスにメールが入るので、このパソコンを開くのは二日か三日に一度になっている。今はほとんどの用件を携帯メールで済ませており、パソコンに送られてくるのは、登録のある通販サイトの案内か迷惑メールばかりだ。既読や不要なメールを削除する。残り数通というところで、伶子は「図書館　林原です」という件名に手を止めた。

『秋津伶子様

図書館の林原です。このたびはありがとうございました。今日は妹も久し振りに墨のにおいを嗅《か》いで、機嫌が良いです。正直、無理なお願いをしてしまったのではないかと案じておりました。自分が楽になるということは、誰かにその負担を強いることでもあるのでしょう。

秋津先生や奥さまにご迷惑にならぬ範囲でと思っております。どうか、手に余る場合は遠慮なく仰有《おっしゃ》ってください。

私には本を選ぶお手伝いくらいしかできることはありませんが、もしもお読みになりたい本などございましたら、いつでもお申しつけくださいませ。本選びの際に、お声がけいただけたら嬉しいです。秋津先生に、どうぞよろしくお伝えください。

メールにて失礼とは思いましたが、この度のお礼まで　林原信輝拝』

図書館を訪ねた日、連絡先にと自宅の住所が入った名刺を渡した。土曜日の夜でなければ自宅のパソコンを開くこともなかっただろう。平日ならば当日のうちには開かないメールだった。林原の額で揺れていた黒い前髪を思いだす。逆風で始まっただろう彼の、この街での暮らしを想像してみた。体の芯《しん》に夫の熱を宿したまま林原からのメールを開いたことを、心のどこかで悔いていた。

この度のお礼まで、か。

定型の礼状に心根を探すのは愚かだ。伶子は午後五時の受信から六時間後、寝仕度を整えてから返信した。定型には定型で。ただ、文末に携帯電話のメールアドレスを記すかどうか迷った。数分モニターを睨《にら》んだのち「それから」とキーを叩《たた》いた。

『実は我が家のパソコンは旧式であまり使っておりません。メールのほとんどは職場のパソコンと携帯に頼っています。なにかまた気になることがある際は、以下の携帯アドレスへご連絡くださいませ。すぐ対応できると思います。いつでもかまいません。こちらこそ、今後ともどうぞよろしくお願いいたします　秋津伶子』

送信ボタンを押してしまってから、彼に名刺など渡す必要がなかったのだと気づいた。林原は自宅の電話番号も住所も、秋津との関わりで知っている。伶子は自分から二度にわたり彼にアドレスを伝え「個人的に連絡をくれ」と言ったのだった。

4

空がやけに青かった。

毎年いつ降ったのかわからないまま初雪のニュースを聞いていた。冬期の日照時間の長さが全国でも有数といわれる街だが、雪の少なさも寒さを感じさせる理由のひとつだろう。緑色を失った木々の梢《こずえ》と沿道の枯れ芝の景色に、いっそう外気が冷えてゆく気がする。

『墨龍展』の結果発表が迫っていた。本賞に入っていれば遅くとも一週間前には本人に連絡があるはずだ。初回公募展は、ずらりと並んだ賛同者の名前と数からいっても、ある程度の話題になる。母の介護や教室に追われて過ぎてゆく日々のなかで、その日がいつなのか、いつまで待てばいいのかわからないことがもどかしかった。

秋津はすっかり教室の小中学生たちに馴染んだ純香の様子を複雑な思いで眺めてい

た。その子が持つ能力に合わせた指導というのは難しいものだが、純香はそれを難なくやってのける。筆を持たせるとそれまで彼女に感じていた「ずれ」が消えるのが、どうにも不思議でならなかった。

――お筆、もう一センチだけ上を持ってみてください。腕が自由に動きます。

――頭を少し右に傾けて、ちょっと胸を張ってみてください。ひとまわり大きな字が書けます。

――筆じゃなく、肘《ひじ》を動かすんです。紙より大きく動けば、余白がきれいになります。

純香があげる具体的な指摘は生徒の驚きを生み、言われたとおりにすれば更に感嘆を呼んだ。秋津はそうした教え方をしないし、できない。純香の指導には、計算された基礎があった。本人がそのことに気づいていないように見えることが余計に秋津の心肝に響く。

平日は小中学生相手の教室を開いているのだが、今のところ「純香先生」は、子供たちの人気を独り占めしている。とりわけ驚いたのは、月の半分も稽古《けいこ》にこなかった中学二年生の澤井嘉史《さわいよしふみ》が、教室を休まなくなったことだ。小学校に入ったころから通っているのだが、高学年になったあたりから休みがちだった。

生徒のほとんどが飽きと時間のやりくりが面倒で筆から遠ざかってゆく。成人して、再び筆を持ちたいと思うころは「趣味」になっている。中学から高校、大学へ進んでも続けられるのはひとにぎり。趣味で終わらぬためには、嫌なときも筆を離さないことだった。秋津が教室をはなれてゆく教え子たちの意識をどこかで小馬鹿《こばか》にしてしまうのは、自身が筆で身を立てようと思い続けてきたせいもある。「先生」と呼ばれて抵抗がないのはそうした傲慢《ごうまん》さゆえと気づいている。

澤井嘉史の母親は近所で絵画の教室を開いていた。書道教室に通わせるのは細かな筆の動きに対応するための訓練だという。驚くほどはっきりとものを言う女だった。かっちりとした化粧と、刈り上げ気味のおかっぱ頭。いつも黒い布袋を逆さまに被《かぶ》ったような服を着ていた。

嘉史も家では絵筆を持っているわけだが、中学に入ってからはどちらにも身が入らないようだ。秋津が見るかぎり、純香が教室にやってきてからいちばん変化したのは彼だった。

横長の会議机を横二列、縦に四つ並べてようやく通路が取れるちいさな教室だ。正座に耐えられる子供たちが少なくなったころから、椅子を使っている。母には、椅子に座って筆を持つなどとんでもないことだと教わってきた。考えかたも教えかたも、時代を経て変化する。

平日の教室は三時から七時までのあいだの、都合よい時間にくればいいことにしてある。前半は小学校低学年、遅くなると高学年と中学生がやってくる。多い時間帯で十人くらいになった。

六時を過ぎた。残っている生徒も五人に減っていた。

純香は通路の後ろで子供たちの動きを見ている。いつもの白いフリースとジーンズ姿だ。秋津は子供たちに向き合う場所に座り、大きめの文机《ふづくえ》でそれぞれの作品に朱を入れる。秋津は子供たちが三枚書いた段階で自分が良いと思う一枚を選び、秋津に添削してもらうのがきまりだ。それを二回から三回繰り返し、「今日の一枚」を決める。教室の壁にはその月の秀作が並んでいる。

半紙を用意した嘉史の背後に、純香が立った。

「よっちゃん、両肩を同じ高さにしてみてください。右はらいのとき、楽になります」

秋津の座った場所からは嘉史のむっとした顔がよく見える。純香の指摘はもっともだが、十四歳の少年の自尊心を傷つけたようだ。片頬を持ち上げ、その年齢にしてはひどく酷薄な気配を漂わせ、少年が言う。

「純香先生、ちょっとやってみてくれませんか」

純香は嘉史の席に座り、秋津の個展で見せたみごとな姿勢をつくった。手入れの行き届かない安物の筆で、半紙を撫《な》でる。ゆっくり、最後の抜きまで同じ速度の右はらい。純香のまわりだけ、空気の流れが止まっている。席を立った純香の横で、頭ひとつ背の高い嘉史が唇を突き出して不満そうな顔をする。

「本当に右はらいしか書かないでやんの」

「ちゃんと右はらいが楽になる方法を教えました。よっちゃんの場合は両肩の位置です」

「おれ、純香先生がどんな字を書くか見たかった」

やってみろと言われたので、両肩を同じ高さにしてみせたのだった。純香ならば、書いてみろと言われれば「なにを書きますか」と問うのではないか。あるいは秋津の手本どおりのひと文字を書いてみせるか。

離れた場所で聞いていると、ふたりの会話や思いのちぐはぐさがわかる。純香のほうは嘉史の言いたいことが理解できないようだ。やってみろと言われて、ほぼ完璧《かんぺき》な姿勢と技術を見せた。嘉史には伝わらないが、それが彼女の指導上の誠意なのだと秋津は理解する。純香は無表情で生徒の顔を見上げている。

「嘉史、はやく一枚仕上げて持っておいで」

秋津が水を向けて少年が席についた。純香はしばらく嘉史の手元を眺めたあと、隣の机に移動した。先ほどからどれを提出しようか迷っている六年生の女の子が、純香に向かって微笑《ほほえ》んだ。

『第一回　墨龍展　受賞作品発表』

十二月半ばだった。

応募点数が千を超えたとなれば、注目度はますます上がる。大賞受賞者は専門雑誌や新聞に引っ張りだこだ。とうぶんのあいだ、驚くほど忙しくなる。

秋津は紙面の中央にある『隗』と顔写真を見た。

「若手書道家の希望を背負って」

仰々しい見出しは大きなお世話だろう。受賞者は三十七歳の女だった。書道は中学から始めたとある。紙上で微笑む若手書家の顔は、晴れ晴れとしているようにも秋津の知らない宙《そら》を見ているようにも思える。新聞をたたみ、テーブルに置いた。

選評には『隗』を選んだ応募者の数が非常に多かったとある。安易な発想をどれだけ作品として羽ばたかせることができたかが勝敗を分けたということだ。「つまらない尺度」という思いが過《よ》ぎったが、口にすればただの負け惜しみでしかなくなる。

伶子が食パンとコーヒーを新聞の横に置く。結果をからりと言い放つのもためらわれた。背筋を伸ばしていなければ、体のあちこちから見栄《みえ》が漏れでてしまいそうだ。ちいさくため息をついた。

「また新しい紙と墨を探さなくちゃいけないな」

「それも楽しみのひとつじゃないの」

乾いた笑いをひとつ返すと、いつもの朝が戻ってくる。こうした場合の伶子の言葉に嫌味がないことくらいわかっている。彼女流の励ましなのだ。これはこれで、悪くないと秋津は思う。一緒に過ごした十年という月日の成果だ。

ブラウンシュガーを秋津のカップに落とし、伶子が言った。

「純香さんのほうは、どうなの」

「どうって」

「教室で、なにも問題なく過ごせてるかどうか。わたしは土曜日にちょっと顔を見るくらいだから、成果があるかどうかわからないの」

「館長からはその後なにか聞いてないのかい。俺のほうは、意思の疎通《そつう》っていう点でまだちょっと難しいっていう感じかな」

伶子はすこし視線を遠くに向け首を傾《かし》げている。会話はそこで終わった。

先に純香の話を持ってきたのは伶子だった。養護教諭という肩書きのせいか、ときどき思わぬ相談ごとをされている。市内の病院の情報や教職員からの疾病《しっぺい》相談など、電話で親身に聞いている姿を間近で見てきた。林原館長が秋津ではなく伶子に相談をもちかけたのも、書道云々《うんぬん》よりも純香との生活全般を案じてのことだろう。

お陰で秋津のもとに純香が転がってきたわけだ。あのときは彼女の才能をこの目で確かめられると心躍った。純香を受け入れてから二か月が経とうとしていた。時間も守るし、決して休まない。ただ秋津が頼んだこと以外はなにもせず、天気や子供たちの様子など、秋津が話しかける内容にはほとんど興味を示さなかった。

純香は、まだ一枚も秋津の前で作品らしいものを書いていない。子供たちの前で書いて見せる文字は、秋津の手本どおりなので少しも彼女の力を確かめる目安にはならなかった。

純香には摑《つか》まえたらするりと逃げてしまいそうな危うさがある。上からものを言ってもいけないし、卑屈な態度をとればこちらが傷つきそうだ。純香は女のかたちをした子供だった。正直をいえば純香の内に籠《こ》もっている能力を、見たいのか見たくないのか、まだ気持ちの整理がついていない。

「龍さん、わたし今日はちょっと遅くなります」

伶子が冷蔵庫に貼《は》ってある予定表を指差す。紫色のペンで「忘年会」と記されていた。

「みんな同じ職種だし、同窓会みたいなものなの。二十日を過ぎるとそれぞれ忙しくなるらしくて。あれこれ調整しているうちに、今日になっちゃった。あまり遅くならないようにします」

いいんだ遠慮しなくても、と言いかけた唇を噛む。秋津は「うん」と返した。秋津の脳裏では、さまざまな考えが浮いたり沈んだりしている。今、彼女にとってよき夫であろうとする意識が自身に「お前それは卑屈すぎやしないか」と訊《たず》ねてきたのだった。

伶子が出かけたあとの家はいつもどこか白茶けた気配が漂っている。妻がいない家の中は心なしか、母の汚物のにおいが増す。窓を開けた。レールがすっかり渋くなっている。部屋の温度が一気に下がった。窓辺にいると息が白い。

時計を見た。今日は十時に母をデイサービスの入浴に送り出し、四時に家に戻るまで自由に過ごせる。空気の入れ換えとベッド周りの簡単な掃除を終え、母の着替えを紙袋に入れた。ひっきりなしにチャンネルが切り替わる。どんな番組が流れていても母と一緒にテレビを観《み》る気にはなれなかった。あまりいい傾向ではないと思いながら、食卓の上にある新聞を振り向き見る。

若手書道家の希望を背負って。

何度読み返しても陳腐な見出しだ。頂点に立った者に、誰が希望など託すものか。勝者のインタビュー記事など、湿原の上に生い茂る葦《あし》や枯れ芝と変わらない。一問一答の言葉ひとつひとつも、剝《む》き出しの野心をうまく包み込んでいるだけに思えた。秋津の腹は時間が経《た》つほど毒で満ちてゆく。

「たぁちゃん、たぁちゃん」

立ち上がり、母の着替えを入れた袋を床にたたきつける。ベッドの上で母の喉《のど》が鳴った。聞いたこともない音だ。目が怯《おび》えている。見開かれた母の目を更に睨みつける。肌掛け布団《ふとん》の隙間《すきま》から尿のにおいが漂ってくる。秋津は肩を落とす。この醜悪な生きものが母であることも、それを認めるのも嫌になっている。

かつて母であったもの。

今は何に変わってしまったのだろう。

この人から両手に余るほどの愛情を受けながら育ったくせに、と思う。倒れてからは、母と子の繫《つな》がりなど、お互い正気でいてこその理想ということに気づいてしまった。もう、どんなに願っても母からの情を受け取れない。こんな結末が誰にでも等しくやってくるものなのかどうか、考えてはみても満足な答えは得られない。記憶のなかにある愛情の、かたちもにおいも忘れてしまう日がくるなどと誰が想像するだろう。すりきれた情に気づくのが、母よりも少しだけ早かった。その逆もあり得たのだろう。母には、最期《さいご》まで母のかたちをしていてほしい。秋津は自分の願いに傷ついていた。

無言で掛け布団をめくり、紙おむつを交換した。ポリバケツに汚れたものを放り込む。知らぬ間に涙が頰をつたっていた。

「おかあさん、もう勘弁してくれないかな」

介護ベッドの柵《さく》に額を押しつけて泣いた。息子を一人前の書家にするために財産のほとんどを使ってしまったひとだった。すっかり皮膚の薄くなった母の手が、秋津の髪を撫でた。

台所の洗い物を終えて母をデイサービスに送り出す。今日は筆を持つ気になれなかった。家の中よりも秋津の体の内側が静かなのだ。体から重たい臓器を抜き取られた気分だった。

母が使っていたシーツやバスタオルをまとめて洗濯機に放り込んだ。せめて洗濯機が回っているあいだだけでも気分転換をしようと、ダウンジャケットを着込む。いつもどおり動かしているつもりの体も、今日は少し軽いような気がした。鍵《かぎ》を持って廊下に出る。

玄関に足を踏み入れた者はよく、秋津の家には墨のにおいが充満しているというが、住んでいる人間にはわからない。生まれてからずっとこのにおいを嗅いできた。ずっと母がまとっていたにおいだ。教室の掃除は後まわしにした。トレッキングシューズに片足を入れたところで電話が鳴った。秋津は台所にとって返し、受話器を上げた。

「先生、純香です。お元気ですか」

「ああ、はい。元気です」

秋津の戸惑いなど構いもしない明るさで純香が言う。

「朝、川にぽこぽこ丸い氷が浮いてました。ずっと見ていたらいつのまにかなくなってしまったのですが、あれはなんでしょう」

蓮《はす》の葉氷のことを言っているのだろう。冷え込んだ朝などに河口付近に浮かぶ、この街の風物詩だ。風のない冬の朝、薄く張った氷が波によって分割され、縁がめくれて蓮の葉のように見える。蓮の葉氷、と言いかけて言葉に詰まった。もう十一時になろうとしている。純香はいったいいつから川を見ていたのだろう。

「純香さん、今どこにいるんですか」

「橋の上です」

「橋って、幣舞橋ですか」

「そうです」

いつからそこにいるのかを訊ねるのはやめて、秋津は十分かからずそこに行くと告げた。

「先生も、川を見たいんですか」

「うん。今、走って行きます。寒かったら向こう岸の建物に入っていてください。すぐに見つけられますから」

橋の向こうには、フィッシャーマンズワーフがある。ドーム型の緑化施設は温室なので、そこにいてくれれば多少は暖かいはずだ。向かい側にはビジネスホテル、観光案内所。どれでもいい。

秋津は幣舞橋に続く坂道を駆け下りながら、師走《しわす》の冷たい空気を肺に入れる。ひと息ごとに胸が痛い。鼻、喉、気管が冷える。白い息の向こうへと走った。

林原に連絡をするという発想がなかったことを、橋のたもとにたどり着いてから気づいた。欄干に両腕をあずけて、じっと川面《かわも》を見下ろしている女がいた。あともう数メートルというところまで近づくと、女が顔を上げた。白い息で視界がくもる。吸って、吐いて。純香の顔が冷えた空気のなか、見えたり見えなかったりを繰り返す。

「純香さん、どうしたの。寒いでしょう。今朝は氷点下でしたよ」

「散歩です。先生」

ふくらはぎまである白いダウンコートに耳掛け、フリース製の手袋もみな白いが、マフラーだけは紫に白い水玉模様だ。純香が話しても息が白くならない。いったいいつからここにいたのか。

「お兄さんにはちゃんと言ってあるんですね。心配させていませんか、だいじょうぶですか」

秋津が問うと、純香はダウンコートのポケットから白い携帯電話を取りだした。パンダのストラップが揺れている。駆け寄り、純香の手元を覗き込む。『のぶき』の名前がずらりと着信画面に並んでいる。どの着信にも「不在」の表示がついている。

「お兄さん、心配してますよ。どうして電話にでないんですか」

「ノブちゃん、たくさんお酒を飲んで帰ってきたんです」

「忘年会シーズンですから。お仕事なんですよ。林原館長ならばつきあいも多いし、大変だと思います」

拗《す》ねた表情を隠さない。秋津は素早く純香の携帯電話を手に取った。

「お兄さんに連絡を入れましょう。何があったのかは知りませんが、こんなに心配をかけてはいけません」

「ノブちゃん、お化粧のにおい、いっぱいしたんです」

男なのだから、という言葉をのみ込む。手のかかる妹を引き取って同居となれば、いろいろと本人のなかで折り合いのつかない問題もでてくる。車椅子に座りデイサービスのワゴン車に乗せられる母の、うつろな瞳を思いだした。

「とにかく、連絡しましょう。お願いですから、お兄さんに電話をかけてください。お話しするのが嫌なら、僕がでますから」

純香は拗ねた表情のままボタンを押し、携帯電話を秋津の手に押しつけた。すぐに妹の名を呼ぶ林原の声が聞こえた。秋津はまず名乗って、家にかかってきた電話で幣舞橋に駆けつけたことを説明した。相手が秋津だとわかると、林原の声は途端に低くなった。

「申しわけありません。先生にまでご迷惑をおかけしてしまって」

林原の対応は秋津が恐縮するほど丁寧だった。その丁寧さが秋津を理由のわからない不快な気持ちにさせる。すぐに迎えに行きます、と彼が言った。

「館長、お仕事もあるでしょう。僕はたまたま今日は空いてるんです。このまま図書館のほうに」

お送りしますと言いかけた秋津の手から、携帯電話が消えた。

「純香は秋津先生のお教室に行きます。ノブちゃんは好きにお仕事してください」

呆然《ぼうぜん》とする秋津を尻目に、携帯電話をポケットに戻した純香が坂のほうに向かって歩き始めた。後を追う。白い息を吐いているのは秋津ひとりだった。純香は無言で坂を上ってゆく。秋津は坂の途中で振り返った。幼いころからずっと見慣れた太平洋の、黒い水平線から濃い青色の空が立ち上がっていた。

不機嫌な顔のまま家に上がった純香を、台所へ促す。

秋津は家に戻ってすぐにFF式ストーブの目盛りを上げた。純香は家に上がってすぐにダウンコートを脱いだ。寒いでしょうと言うと、家で上着を着ているのはおかしいですから、と返してくる。行動は突飛でも言葉は理路整然としており杓子《しゃくし》定規だ。極端すぎてかえって純香流のおかしみになっている。

秋津は温めた牛乳をマグカップに注いでテーブルに置いた。純香はカップを持ち上げたがすぐにテーブルに置き直した。

「嫌いでしたか。お茶とかコーヒーのほうがよかったかな」

「熱いです。もうすこし冷たくなってからいただきます」

蓮の葉氷が浮かぶ早朝からずっと橋の上にいたのだろうか。氷の本番は年明けからだ。まだ日の高い時間帯に川面の氷を見られる時期ではない。

秋津は林原の毎日に同情を覚えた。母親と妹、どちらがよいかという問題ではないだろう。共感や優越感が、ないまぜになって心の隅々から押し寄せてくる。

カップを持つ純香を台所において、秋津は電話の子機を持ち教室に入った。林原に連絡を入れなければならない。図書館の電話番号を押してから館長が出るまでに、およそ一分かかった。

「すみません、先生のお宅に伺おうと一階に下りたところでした」

「いや、こちらこそすみません」

ご迷惑をおかけします、と彼が言った。すこし息切れぎみだ。秋津は次の言葉を待たなかった。

「今日は教室も休みですし、純香さんに好きなものを書いてもらおうと思っています。

筆を持てば気分も変わるでしょう」

「先生、妹は何かおかしなことを言ってませんか」

林原の言葉によると、彼が明け方に自宅へ戻ったとき口論になったという。理由は口にしなかった。まるで夫婦喧嘩《げんか》のようだと思いながら、この兄妹にかすかな嫉妬《しっと》も覚えている。単純に笑うことができない。秋津は胸底の砂をかき混ぜられるような思いに「とりあえず」という言葉で蓋《ふた》をした。

「館長のお仕事が終わるころ、図書館までお送りします。七時くらいでよろしいでしょうか」

もっと早くに戻しても大丈夫という林原に、笑って返す。

「実は純香さんとお話ししているあいだは、僕も楽しいんです。彼女は子供たちからとても好かれていますよ。いつものお礼にもなりませんが、今日のところは僕に任せてください」

恐縮する林原に余裕の言葉を重ねながら電話を切った。秋津は子機を持ったまま、七度まで冷え込んでいる教室の暖房を入れた。

純香に本気で筆を持たせるならば、今日しかない。朝刊を開いた際の落胆は影を潜めている。書かせてみればわかるはずだった。安易に試すことは避けたい。あえて筆を持たせなかった時間を振り返り、秋津は胸深く息を吸いこんだ。

暖まった教室で稽古用の机をずらし、条幅用の毛氈《もうせん》を広げた。秋津が指導用に使っている机の後ろには、古筆から仮名、初級から上級まで何冊もの手本が揃《そろ》っていた。古書店でもなかなか見つからないようなものばかりだ。

「なんでもいい、好きなものを書いてください。気分転換ですよ。お手本ならばいくらでもありますから」

古いもの新しいもの、筆も紙も墨も、好きなものを選ばせようと思った。純香は立ったまましばらく黒い毛氈を見下ろしていた。秋津は辛抱強く純香が動き出すのを待つ。

「筆は、そこに掛かっているものから選んでください。気に入ったものがなければ、こちらにもあります」

一間半の窓に等間隔で下げてある大小の筆を指差したあと、未使用の筆が入った箱を差しだす。純香がゆらりと窓辺に近づいた。並んだ筆の中からイタチ毛の一本を手に取る。使いやすいという点で、これに勝るものはないだろう。あまりに平凡なものを選んだことに失望する。が、その気持ちはすぐに平凡な筆でいったいなにを書くつもりなのかという期待に変化して、秋津の胸に戻ってきた。

紙は秋津が公募に使ったものの残りが数枚ずつ残っている。教室の隅にある桐《きり》の引き出しを示し、紙はこっちにあるからと声をかけた。紙を先に選ばせるべきだったかもしれない。いや、と首を振った。純香の強弱のない動きを追っていると、脇腹《わきばら》や背筋に冷たい汗が流れた。汗は乾きながら秋津の体温を奪ってゆく。

秋津の机に背を向けるように、純香が毛氈の向きと場所を移動させた。そんなところで書いたらストーブの温風で穂先がすぐに乾いてしまう。声をかけようか。いや、まて。教室で子供たちに指導する彼女を頭に浮かべた。なにか計算があるのかもしれない。

秋津はなるべく純香の視界に入らぬよう、指導机の後ろまで下がった。

純香が毛氈の上に表面の粗い唐紙《とうし》を広げた。

用意した大きめの端渓《たんけい》に墨液を流し込み、硯《すずり》のくぼみで二種類の青墨を擦る。こんな光景は見たことがなかった。乾燥した室内の、更に乾燥する場所で、この女はいったいなにを書くつもりなのだろう。

手本は不要らしい。秋津は息を潜めて純香の背と肩、墨を含んだ筆先を見つめる。

一尺×四尺の条幅紙を両脚の下に置き、ゆっくりと腰を落とした。

ひと筆目は逆筆で入った。純香の体が文字と一緒にうねる。強弱、緩急。止める、伸ばす、持ち上げ、なだめ、振り切る。

思わず、ため息がでた。

署名。

秋津は首がねじ切れそうな勢いで背後の壁を見た。たった今、純香が書いたものと同じ筆痕《ひっこん》がある。もういちど純香が書いたものを見る。振り返る。

額に入った作品と同じ署名。

秋津の母の師匠、今は鬼籍に入った畑本康生の書と署名。

室温と乾燥の速度、墨の濃さ、選紙。

完全に乾かし、表装をすればわかる。秋津にはわかる。落款《らっかん》さえあれば見分けのつかないものが誕生するだろう。

空気が緩む。純香が左隅の余白に手のひら大のバツ印をつけた。

「なにをする」

一歩踏みだし純香の腕を摑む。振り向いた目が秋津の動揺とぶつかる。大きな声に怯えている。謝り、ひと呼吸おいて問うた。

「なぜ、バツ印なんかつけたんですか」

「おばあちゃんがそうしなさいって」

純香が怯える目で答えた。林原兄妹の祖母を想像してみた。母代わりだったと言っていなかったろうか。

「誰かの作品を真似《まね》して書いたときは、バツを入れなさいって、おばあちゃんが言ったんですね」

「はい」

純香の手から筆をはずした。筆を持たなければ頼りない少女でしかなくなる、細いちいさな体を両手で包んだ。畏《おそ》れと嫉妬、感じたこともないかなしみが秋津の内側で凍り始める。たゆたう波のせいで端がめくれてゆく、蓮の葉氷だ。他との繋がりを拒んで、角を削り、めくりあげながら川面に漂い続ける。

純香の内側は覗くことさえ恐ろしく、冷たく、それゆえ手放すこともできない。

贋作《がんさく》——。

純香が持つ異形の才は、秋津を心の底から震えさせた。

5

純香を寝かしつけてから、信輝は再び図書館に戻った。

夕刻、純香を連れてロビーにやってきた秋津に何度も頭を下げた。純香のことは自分に任せてくれないかという言葉の意味を、理解するのに少し時間がかかった。

「純香さんに書の練習をしていただきたいんです。そうなると、今までより教室にいる時間が長くなると思うんです。そこを、館長にご了解いただければ」

拒む理由はなかった。ただ、こうして肩の荷を下ろし続けていると、どこかで大きなしっぺ返しがあるような気がする。祖母がかつて信輝の前で純香の今後を案じたように、今の不安を少しでも埋めてくれるのが秋津伶子だと信じたいのだが、はっきりと意識することは避けていた。信輝は内側にある保身を嫌悪《けんお》しながら、今の自分に保身以外の何が必要だろうかとも思っている。

通用口でカードを差し込む。「警備解除しました」と機械が言う。これを聞くといつも「おかえりなさい」と言われているような気持ちになった。四階の執務室までは階段だ。無駄な電力は使わないことを職員にも徹底している。閉館時刻にはエレベーターの電源を切り、最後の職員が館を出る前に水道も止めているので、館内は物音ひとつしない。

民営化されてからの執務室は、部屋の片隅しか使われていない。燃料代を削減できるのはスタッフしかいない場所だけだ。冬場はみなそれぞれの足下に省電力型の小型オイルヒーターを置いて仕事をしていた。蛍光灯を点《つ》けなくても、外から入り込む街灯と慣れた動線のお陰で机まではたどり着ける。椅子《いす》に腰掛け、ヒーターのスイッチを入れた。パソコンを開けると、そこだけ青白い光に包まれる。パスワードを打ち込む。書きかけの提案書が現れた。「読書人口の拡大」「市民サポートの促進」「実行委員会の組織」といった項目が並んでいる。

明け方から純香を探し回っていたせいで、ほとんど眠っていない。モニター画面を見ているだけで眼球に鈍い痛みを感じる。仕事にならなかった午前のぶんを、今日中になんとかしなくてはいけなかった。締め切りは明日の午後だ。

里奈からメールがきていた。マウスを動かしかけてやめる。携帯ではなくパソコンに送られてくるメールは総じて長い。ためらいに蓋をして、開くのをやめた。

職場や対外的な場面で人あたりがいいとか温厚と言われるのは、たぶんこの不実さが露呈しないよう努めているせいだろう。実際は他人と繋がっていることに、さほどのありがたみも憧《あこが》れもない。自分がおしなべて「優しい」という印象を抱かれることは承知している。それが林原信輝の強みでもあるが、同時に大きな欠落でもある。

ようやく着地点が見えてきたころ、胸ポケットで携帯電話が振動した。

秋津伶子。

メールだった。座ったまま床を蹴《け》って、椅子ごと机を離れる。急いで画面を開いた。

『こんばんは、秋津です。教室で、純香さんはとても人気があるそうです。図書館の四階に明かりが見えましたので、夜分とは思いつつ、ご報告まで。おやすみなさい。失礼します』

体の向きを変え、急いで立ち上がる。正面玄関から駐車場、生涯学習センタービルから歩道へと視線を走らせる。視界の中で動くものを探す。動かないものも、懸命に探す。秋津伶子の姿はどこにもなかった。街灯の下、植えこみのそばにも人影はない。

窓の外に目を凝らし続ける。見下ろした夜のどこに彼女がいるのかわからない。青に変わった信号の向こう、一瞬だが木々の隙間に白いコートの背中が現れ消えた。

メールを読み返す。

四階に明かりが見えましたので。

雪のない師走の街。この景色のどこかから、細い蜘蛛《くも》の糸が自分めがけて飛んでくるような感慨がある。細いがたしかなつよさで、信輝の内側にあるものを搦《から》め捕ってゆく。急速に冷えてゆくもの熱く変化するものが、身の内でぶつかり合っては分裂する。

夜の底で、なにかが重なり合っている。窓を背にして返信ボタンを押した。

『こんばんは、林原です。メールありがとうございます。安心しました。お時間のあるときに、図書館にも遊びにきてください。おやすみなさい』

飛んできた糸の端を強く握った。今朝、純香が部屋を出て行ったことや、秋津に保護されていたことを報告する気分にはなれない。伶子に言えば、なぜそんなことになったのか、朝帰りの理由から説明しなければならない。

メールの内容からみて、今日のことはまだ知らないのだろう。こちらから言うのがいいのか、それとも秋津から直接聞くのがいいのか。純香を送ってきた際の秋津の態度を思い出し迷った。

純香は、明け方とはまったく違う顔で信輝のもとに戻った。体から一本芯が抜けたような表情をしていた。問えば、自分の首を絞めることになる。妹と始まった新たな暮らしは不安だらけで、信輝の責任感も揺らいでいる。そのくせ、とも思う。

妹を理由《だし》に、秋津の妻に電話した。

先に糸を放ったのは信輝だった。痛みが増してきた目頭を親指で軽く押す。瞑《つむ》った目の奥に、ロビーで初めて会ったときの秋津伶子が蘇《よみがえ》る。

昨夜抱いた女の、髪型が伶子に似ていた。名前も知らないまま果てた女の内奥に、彼女を見ていた。髪や衣服に女のにおいを残して戻ったのは迂《う》闊《かつ》だった。まさか純香に気づかれるとは思わなかった。妹の想像が秋津伶子にたどり着かないことを祈った。

提案書をまとめ終えて、里奈からのメールを開く。

『お仕事おつかれさま。ところで、年末に釧路に行ってみたいと思うのですが、いいかな。純香ちゃんがどうしてるか気になるし、ふたりの元気な顔も見たいし。どうでしょうか。ノブくんさえ良ければ、チケット取ります　里奈』

窓の下の街灯を見下ろす。この問いをメールでする里奈の心もちを想像してみる。電話で訊ねたあとの反応に、一喜一憂したくないという心根が透けてみえた。自分もそうするだろう。里奈と自分の関係は、どちらかが踏ん切りをつけない限り延々と続いてしまう。踏み出す足が重いのはお互いさまだ。そのくせ繋がりを解く勇気もない。誠実さとはかけ離れた感情が、会ったり抱き合ったりを許している。心のどこかで、結論をださないこともまた誠実のかたちではないかという他人の評価を期待している。

『ありがとう。詳しい日程がわかったら教えてください。純香も喜ぶと思う。気をつけてきてください　信輝』

秋津伶子はその週の土曜日「純香さんを送りがてら」と言って図書館に現れた。午後五時に彼女から入ったメールには、教室のあと夕食も秋津家で済ませるとあった。純香が家を飛び出した日やその後のメールでの儀礼的なやりとりを思いだせば、先日のことを夫から詳しく聞いていないことがわかった。なぜ秋津が妻に言わないのか、想像するにも材料がなかった。こちらから訊ねるのは愚かだ。

ロビーで純香の隣にいる彼女に礼を言った。伶子のメールは書道教室のある日に、ほとんど毎回同じ文面で届く。

『純香さんはお疲れになっていませんか。気になることがありましたら、いつでもどうぞ。たいへん寒くなってきました。風邪に気をつけてください　秋津』

『ありがとうございます。教室のある日は機嫌がよくて助かります。秋津先生にもよろしくお伝えください　林原』

メールで連絡を取り合うのは簡単で便利だが、それゆえなにも伝わらないような気がした。なにより開くときの高揚感が癪《しゃく》に障《さわ》る。なんということのない文面に、遠回しな含みや心情を探している。そんなものはない、と言いきれるだけの潔《いさぎよ》さが自分にはない。夜中の景色に彼女を探してしまったときと同じく、細い糸の存在を一行か二行の短いメールに求めてしまう。

純香が伶子の横から一歩踏みだし、信輝の横で回れ右をした。

「ノブちゃん、今日もおもしろかったです。伶子さんのシチュー、すごくおいしいです」

妹の笑顔も、今日は重荷と思わなかった。

「伶子さん、ありがとうございました」

「いいえ、どういたしまして。疲れていませんか」

「だいじょうぶです。秋津先生と伶子さんはとてもやさしいです。純香はおふたりが大好きです」

「そう言っていただけると、嬉《うれ》しい。純香さん、またおばあちゃんとお話してあげてね」

純香は「はい」と返したあと落ち着きがなくなり、二階の絵本コーナーに行きたがった。

「いいよ、閉館まで本を読んで待っていなさい」

こちらの返事を最後まで聞かずに、階段のほうへと駆けていく。純香の機嫌がいいときはすぐにわかる。わかりやすいのが困るときもある。自動ドアの開閉が続いた。寒さや行き交う人を避けているうちに、エレベーターの前まで追いやられる。

「すみません、夕食までご馳走《ちそう》になってしまって。こんなに甘えていいものなのか、正直なんと申しあげていいのか」

「秋津もずいぶんと変化しているように見えるんです。純香さんはきっと、彼が書くものにもいい影響を与えているんだと思います。純香さんは寝たきりの姑《しゅうとめ》にも優しく声をかけてくださるんですよ。こちらこそ感謝しています」

秋津家に寝たきりの母親がいることを初めて知った。秋津が言っていた「市外への転勤を考慮されている理由」かもしれない。伶子の様子に生活の疲れを見つけるのは難しかった。彼女の暮らし、背後の景色を容易に想像できない。唇から出てくる言葉は、本当のようでもあるし、まるきりの嘘《うそ》のような気もする。秋津伶子には邪推を許す無防備さと、立ち入ることを許さない壁がある。

過剰な謙遜《けんそん》ばかりですこしも前に進まない会話が続きそうだった。階上を指さす。伶子の視線が信輝の指先に移動する。

「よろしかったら、本選びのお手伝いをさせてくださいませんか。視聴覚室には古いレコードもあるし。図書館は古いぶん宝の山なんですよ」

「宝の山、ですか」

「ええ。今ではちょっと手に入らないようなものが、目立たないところにいっぱいあります。目立たないように精いっぱい気を遣いながら、さり気なく置いている、というのが正しいかな。とにかく、本屋さんや古書店とはひと味もふた味も違う楽しみかたができる。同じく本を扱う仕事だけど、僕らはちょっとベクトルが違うんです」

怜子は図書館長が「司書」であることに驚いている。もともとは公営の図書館職員だったことを告げると、更に不思議そうな表情になった。

「民間の、なにか別のお仕事をされていた方だと思っていました。すみません、しっかり新聞を読んでいれば気づくことなんでしょうけど」

「ひとに言うようなことでもないですから。大学を卒業してからずっと本に埋もれてやってきました。会社のほうには、図書館を任せてもらえないなら辞めますと言ってあります」

どうして、と問われた。

「お山の大将が好きなんですよ」

初めて彼女の笑い顔を見た。つくり笑顔ではない。笑い顔だ。頬が自然に上がり、目元がやさしい。唇から覗《のぞ》いた前歯と薄い口紅から目を逸《そ》らした。いったいどんな気持ちで真夜中に四階の明かりを見上げてメールなど寄こしたのか問いたかった。

記憶が揺れながら行きずりの女へと滑り込んでゆく。うろたえる。

「最近は面白い本を読まれていますか。お忙しいとなかなかお時間もないと思いますが」

伶子はすこし首を傾げ、自嘲《じちょう》気味に「仕事関係の本ばかりです」と答えた。肩からバッグがずり落ちそうになる。飴《あめ》色のトートバッグをかけ直す。結婚指輪。目はこちらを見上げたままだ。

「フィクションとノンフィクション、どちらがお好みですか」

「若い頃は恋愛小説ばかり読んでいました。頭の中が暇だったんです」

「恋愛小説は、仕事が忙しいときに読むのがいいかもしれない。翻訳ものはお嫌いですか」

「嫌いではないですけれど、文章についていけないときがあります。内容にたどり着くまでが大変っていうか」

信輝は会話の方向を少しずらした。

「じゃあ、映画もなかなかご覧になる時間がないでしょう」

「テレビで、ごくごくたまに。最近は映画館にも行ってないですね。昔はよく観たのに」

「気に入った映画の原作だと、安心して読めるかもしれませんね」

それなら、と伶子が言う。

「読んでみたかったのがあります」

伶子が挙げたのは『シェルタリング・スカイ』だった。信輝が原作を読んだのは中学のころだ。映画も観ている。

女の唇から滑り出たタイトルに、どう返していいものか迷う。

『シェルタリング・スカイ』は、明日も生き甲斐《がい》も見失った夫婦がひとりの男を挟み、サハラ砂漠で過酷な運命へと足を踏み入れてゆく話だった。

移ろいゆく男女の心のすべてを砂が物語るような、乾いた映画だ。夫婦が同行者に選んだのは陽気な青年だが、彼もまた、自分の持つ運命に翻弄《ほんろう》されるひとりだった。

「いい映画でしたね」

「夜中にテレビでやってたんです。全体的に茶色い映像だったし、つまらなくなって途中で眠くなることを期待してたんですけれど。結局最後まで観てしまいました」

「入門としては、ちょっと文章が面倒かもしれないな」

「難しいんですか」

いや、と首を振った。

「それこそ、映画よりずっと眠くなりそうなんですよ」

伶子が合わせた両手で鼻と唇を挟むようにして笑う。

「眠たくなるなら、大歓迎」

「じゃあ」

二階に、と続けるつもりで歩きかけ、はたと立ち止まる。所蔵がないのを思いだした。隣町ならばあるだろうか。こちらは蔵書量は多いが翻訳ものが少ない。借りて貸し出しという手もあるが、どうだろう。版元では絶版になっていたはずだ。問い合わせてみるか。

「すみません、貸し出しカードはお持ちでしょうか」

「しばらく図書館にはお邪魔していなかったんです。ごめんなさい」

笑顔から謝罪へと移りゆく表情の、ほんの一瞬だった。信輝自身が戸惑うほどの自然さで、伶子が首を傾げる。音が消えた。

たしかについこのあいだ、自分はこの女と寝たと思った。夜更《よふ》けの安いホテルで、名前も聞かずろくな会話もしないまま抱いた。

秋津伶子に抱く感情に名前を付けるのは難しかった。厄介なものに捕まったという思いの裏側で、内臓をそっと撫《な》でられるような痛がゆさと闘っている。

「手持ちのものがあります。今日か明日にでもお宅にお届けします。返却予定日のない本です。DVDもつけて。あの映画たしか、音楽がとても良かったんです」

図書館司書の大前提は、利用者のプライバシーに干渉せず、サービスに私情を挟まないことだ。秩序が乱れた。秋津先生にお礼も申しあげたいですし、と言いかけたところへ伶子が返す。

「じゃあ明日、買い物に出たときにでも寄らせていただきます。館長さん、毎日あんなに遅くまでお仕事ですか」

「夕食の仕度があるので、仕事は持ち帰ったり職場に戻ったりいろいろです。こっちでやったほうがはかどるときは、寒いのを我慢してここでやります」

「明日の夕方、寄らせていただく前に一度メールします。純香さんのことで気になることがあったら、いつでも連絡をください」

思いもよらぬところから現れて信輝の自尊心をすり抜けてゆく。ロビーを出てゆく彼女を見送り、もしもあの態度が意図的なものだったら、と思った。みごとと言うしかない。かなわない。階段を上りながら首を振る。気づかぬうちに笑っていた。

大晦日《おおみそか》、駅の駐車場に車を停めて午後一時三分着の「スーパーおおぞら」を待っていた。終着駅には帰省客を待つ人が溢《あふ》れている。ホームに列車が入ってきた。バックミラーの中を列車が通り過ぎる。後部座席から純香が飛び出した。純香は、里奈が正月休みを利用してやってくると告げてから一週間、ずっと里奈の話ばかりしていた。

――里奈ちゃんはね、純香とノブちゃんのことが大好きなんだよ。

――里奈ちゃんと一緒に、ハリー・ポッター観たの。面白かった。ポップコーン買ってくれた。

キャラメル味、もう一回食べたい。

――里奈ちゃんと、どこに行こうかな。

――里奈ちゃん、温泉が大好きなんだって。行こうよ。

毎日、毎食、顔を見るたびに里奈の情報を放られて、かなり食傷気味だ。ただ、ひとつだけ箸《はし》を持つ手を止めた言葉があった。

「里奈ちゃんはね、病院の院長さんにすごく好きって言われてるの」

純香の口から信輝へ伝わることを、里奈が計算したとは思いたくない。作為があったとすればこちらも態度を決めねばならないだろう。なかったのなら知らぬふりを決め込む。純香には一生わからない大人の狡《ずる》さだ。

ひとあし遅れて、駅の構内に入る。純香は既に里奈を見つけて腕につかまっていた。右手を軽くあげる。里奈は長かった髪を顎《あご》のラインで切りそろえていた。秋津伶子と同じく、耳の下で毛先が揺れている。なにかしらの決意を促されている気がした。髪型ひとつに試されている。胸に溜《た》まっていた息を吐いた。列車から流れでた帰省客に押し戻されそうになりながら、里奈と純香にたどり着く。

「純香ちゃんもノブくんも、元気そうでよかった。春になってからにしようかと思ってたんだけど、一度冬の道東も見てみたいと思って」

「阿寒湖で良かったかな。冬道じゃなければもっと、知床とかあちこち遠出もできたんだけど」

里奈が笑う。

「やっぱり、札幌から電車で四時間は遠いよね」

家をでたときから用意していたような笑顔だった。うなずいて、荷物を受け取る。駐車場を指し示すと、純香が里奈の手を握って歩き始めた。運転手のことなどお構いなしだ。

信輝は冬道を阿寒方面に向かって走った。里奈と純香は後部座席でしりとりをしている。湿原を抜けるころには沿道の景色も変わった。海沿いにはなかった雪が積もっている。アスファルトは出ているが、ところどころにアイスバーンがある。スピードはださない。このまま行けば、到着はチェックインの三時前後というところだ。ちょうどいい。

「カバ」「バス」「スイカ」「カツ丼《どん》」。

いつも純香が負ける。何度挑戦しても、勝ち負けで終わる遊びということに気づかないらしい。

「純香ちゃんの負け。はい、おしまい」

「カツ丼、好きなんだけど」

「好きでも駄目。しりとりにだってルールがあるの」

終わりを告げるにしては、里奈の口調はきつかった。バックミラーで後部座席を見た。里奈がバッグからお菓子の袋を出して、ふて腐れている純香に渡す。車内に甘いにおいが漂い始めた。キャラメル味のポップコーンだ。

「結婚」という言葉ひとつで、三人の関係は変わってゆくのだろう。この大きな荷物を一緒に背負ってくれるのは、里奈しかいない。雪が深くなってきた。海沿いでは見えていた青空に陰りがでている。目的地はスキー場のある温泉付きの観光ホテルだ。積雪がなければみな困る。

結論をださねばならないのか。

今になってからでは、あまりにも狭すぎる。しりとりにだってルールがある。条件を先に考えるような結婚で、誰が幸福になるのか。全員が納得できる結末など、実は誰も欲していないのではないか。このまま一歩踏みだす熱量を欠いたまま、時間だけ過ぎてゆくのかもしれない。

信輝はアスファルトから続く空へと視線を上げた。上空は雪雲に覆《おお》われ、いつ白いものが舞いだしてもおかしくない空模様だ。

「ノブくん、お休みは五日までだったっけ」

「うん。だけど明日の夜は市内に戻らないといけない。休みには休みの当番があるんだ」

里奈は「そう」と言ってバックミラーの中から消えた。かさかさとポップコーンの音がする。運転に集中しようとすればするほど、ハンドルが軽くなってゆく。現実感が遠のく。前方の景色は内陸に入るほど積雪が増して冬らしくなるが、車内にはどこか心許《こころもと》ない気配が漂っていた。

里奈が「一度泊まってみたかった」と言ったのは、中国映画のヒットで一躍脚光を浴びたホテルだった。年末年始の人気も上々のようだ。車止めもロビーも人で溢れている。館内はクラシック音楽が流れ、ときおり外国語が耳に飛び込んでくる。

純香が人物画の額の前へと駆け寄った。

「里奈ちゃん、お写真を撮ってください」

絵の中の少女と同じ角度、同じようにうつろな眼差《まなざ》しでポーズを取った。里奈がポケットから出した携帯電話で純香を写す。

端と端に立てば顔も見えなくなるほど広いロビーだった。ちょっと目を離すと純香を見失う。純香は里奈に会えたことではしゃぎ、すぐに興味と気持ちが趣くところへ行ってしまう。里奈が辛抱強く妹の相手をしているのを見ていると、微笑《ほほえ》ましいというより胸が痛かった。とても甘えることなどできない。自分はまだ里奈との関係に冷めてなどいないのではないか。だらしのない話だ。再会してたった数時間でこのありさまだった。

フロントで受け取った鍵《かぎ》のひとつを里奈に渡す。階は違うがふた部屋取れたのは幸運だった。エレベーターに乗り込む。四人家族と同じ箱に乗り合わせた。手提げ鞄《かばん》ひとつぶんの隙間《すきま》を空けて、里奈と目が合う。

「悪いな、純香のお守りにきたみたいだ」

「なにを今さら。ノブくんは晩ご飯までどうやって過ごすの。こっちはお土産屋さんをのぞいたりお風呂《ふろ》に浸《つ》かったりしているうちに時間経《た》っちゃいそうだけど」

「何冊か本を持ってきてる。読み返さなきゃならない資料もある」

嘘ではないが、とりたてて急ぎのものではなかった。エレベーターのドアが開いた。里奈と純香を見送る。信輝の部屋はひとつ階上の洋室だった。

新しい年をリゾート型の温泉で迎える。祖母を見送った年でもあり新年を祝う意味はなかったが、里奈がやってくるというので薄給の身だが少々背伸びをした。部屋の窓から見えるのは、針葉樹林と雪景色。白と黒しかない。色のない世界を久し振りに見た。

出張用のバッグから、本を三冊取りだす。うち二冊は春に予定している地元作家のイベント下準備、あとの一冊はハードカバーの『極地の空《シェルタリング・スカイ》』だった。秋津伶子には文庫のほうを渡した。返却不要ですから、と言ってある。本を貸す馬鹿《ばか》返す馬鹿という言葉に笑った彼女を思いだす。

自分がいいと思った本はくれてやれ、面白ければ返すな、という意味だと説明したが、あの調子だと生真面目《きまじめ》に戻してくるかもしれない。一緒にＤＶＤも渡した。

「貸す馬鹿、返す馬鹿」

ため息がわりにつぶやいて、久し振りの「ポール・ボウルズ」とともに一人掛けの椅子に腰をおろした。クッションが硬めの、座りやすい椅子だった。

好きな箇所に挟んだ細い付箋《ふせん》が、ハードカバーの天頂部で薇《ぜんまい》のようにくるくると好き勝手な方向に丸まっている。何度も読み返した一冊だった。決して読みやすい翻訳ではないのに、読むたびに付箋が増えている。付箋には一枚一枚日付を付けるのが習慣になっていた。信輝はいちばん古い日付のページを開いた。

『観光客《ツーリスト》というものは、おおむね数週間ないし数カ月ののちには家へ戻るのに対して、旅行者《トラヴェラー》は、いずれの土地にも属しておらず、何年もの期間をかけて、地球上の一部分から他の部分へと、ゆっくり動いてゆく』

この本を読んでからの信輝は、自分はずっとゆっくりと移動しているつもりでいた。まませた中学生だ。自分は帰る場所を定めない旅行者《トラヴェラー》のはずだった。一年の終わりに、なぜこの本を手にしているのだろう。窓の外はいっそう黒が濃くなり、夜を深めている。

風呂から戻りほどなくして、里奈から電話が入った。

「お膳《ぜん》の用意が始まったの。そろそろいらっしゃいよ」

里奈と純香の部屋に入ると、すでに年越し御膳とビール、日本酒が用意されていた。奥にひとつ、向かい側にふたつの座椅子が並んでいる。ふたりはもう席についていた。

信輝が奥の席に座ると、里奈がビールを注いだ。テレビでは「紅白」が始まっていた。武道館やドームのコンサートに慣れているはずの歌手が、若手アイドルよりずっと緊張しているように見える。会話のきっかけはいつも里奈がつくった。

「この曲、いっときどこに行ってもかかってたよねぇ」

「純香、歌える。里奈ちゃん、またカラオケ行こうよ」

「今度はノブくんも連れてっちゃおうか」

「ノブちゃんって、なにを歌うの」

里奈は含み笑いをしたあと、「ホテル・カリフォルニア」と答えた。

「まだ覚えてるのか。勘弁してくれよ」

「なにそれ、どんな歌」

兄の戸惑いが純香の瞳《ひとみ》をよりきらきらとさせる。中学の卒業式に、即席バンドで歌った曲だった。「声が通るから」という理由でテープを渡され、受験後の頭に叩《たた》き込んだ。「歌え」と言ったのは、信輝とはすこし方向の違う旅行者《トラヴェラー》だった気がする。元生徒会長の最後の壇上挨拶《あいさつ》が終わってすぐ演台が取り払われ、背後に楽器が並んだ。歌詞の意味を考えたのは、ずっと大人になってからのことだった。

「すごく上手《うま》いんだよ。みんなびっくりしちゃって。ノブくんに憧れてた後輩なんか、もう泣いちゃったんだから」

そんな高揚感のなか、教室に戻る途中で里奈に「いろいろありがとう」などと言ったのだ。十五歳にしてはすこし老成しすぎてはいないか。里奈と純香の会話はすぐに話題が変化して、ついて行けない。里奈にしても純香と話しているようで、実は信輝に向かって言っているような気配もある。

純香のお守りと他愛《たわい》のない会話をするためにやってきたわけではないのだろう。里奈の、崩れない笑顔から目を逸らす。胸の内では後ろめたさと優越感が入り交じっている。なにがしかの決めごとを交わさねばならない予感に気持ちが重たくなった。

純香は食後に歯を磨き、用意された布団《ふとん》にもぐり込んだ。年の暮れでも祖母の通夜《つや》でも、純香の就寝時刻は十時だった。

信輝もひと風呂浴びてから部屋に戻った。紅白も大詰めに入ったころ、携帯電話が鳴った。

「そっちに行ってもいいかな」

「うん。疲れたろう、すまなかったな」

里奈は「行く前に謝るのは反則」と笑う。

「ノブくんはビールと日本酒、どっちがいい」

「ビール」

ほどなくして、缶ビールを二本手にした里奈がやってきた。浴衣《ゆかた》の上にキルティングの袢纏《はんてん》を羽織っている。

あともう三十分で年が明けるころ、約束していたようにベッドに横たわった。浴衣の裾《すそ》を割る。無駄な力がスプリングに吸い込まれ、柔らかくなった里奈の体に体重をあずけた。目は見ない。押し返してくる肌の弾力と香り。どの扉がどこに続き、どの指がどこに届くのかも、行き止まりがどこにあるのかも知っている。吸い込まれるような心地よさは、慣れだ。

吐息にのせて自分の名前が耳に滑り込んでくる。二度呼ばせない方法も知っている。フットライトに浮かびあがる体をシーツに沈める。自分もつよく沈み込む。

こんな時間と心根に傷もつかなくなっていた。なにも思うことができない。目を瞑った。女の手が自分のそれと絡《から》まる。握り返さなかった。

6

年末に買い換えるつもりだった掃除機が、三十二型の液晶テレビとBDプレーヤーのセットになった。家電量販店の歳末セールで、目玉商品として積まれていたものだ。

伶子が足を止めると同時に、法被《はっぴ》を着た店員が声をかけてきた。

寝室に設置されたテレビとプレーヤーを見て秋津が首を傾《かし》げる。

「どうしたの急に。テレビってあまり観《み》ないほうだったよね」

「たまに気分転換。寝る前に映画を観るのも悪くないかなって思って」

パソコンの横に林原から借りた『シェルタリング・スカイ』のDVDと文庫本がある。返却は不要と言っていた。林原と伶子にこうした交流があることを、秋津は知らない。伝える理由が見つけられなかった。十年ものあいだ必要も理由もない夫婦の会話を重ね合ってきたのに、こんな場面で理由を欲しがるのも不思議なことだ。

年末最後の書道教室を終えた先日、純香を迎えがてら林原がやってきた。教室横にある玄関で朗らかに応対する夫に、お歳暮が渡されるのを見た。遅れて玄関に出てきた伶子に頭を下げる彼の、折り目正しさに妙に苛立《いらだ》った。

すっかりおふたりに甘えてしまいまして、と林原が言った。秋津の頬もほどよく持ち上がった。こちらのほうがお礼を言いたいくらいです、と夫が返す。しばらくのあいだ玄関先で、純香のお陰で生徒たちの出席率が上がったことや教室が明るいことを伝えていた。

林原は秋津に対して「感謝している」と何度も言ったが、最後まで「助かっている」という言葉を使わなかった。伶子へのメールではよく見るひとことが、当の秋津に向けては放たれない。男たちの友好的なようで引っかかりのある会話は、職員室に足を踏み入れたときに感じる空気に似ていた。

休暇に入ってからすぐに、紙類、箱、空き瓶など家の中に溜まったものを一気に捨てた。掃いて拭《ふ》く、水回りの黴《かび》落としをする。最小限、新しい年を迎える心の準備だ。姑が台所に立たなくなってから、おせち料理の品数が減った。手間のかかるものは出来合いで済ませ、伶子が作るのは煮付けと酢の物、栗《くり》きんとんくらいだ。あとは寸胴鍋《ずんどうなべ》にだし汁をストックしておけばいい。わざわざ冷蔵庫に入れなくても、蓋《ふた》をして廊下の棚に置けば腐らない。蕎麦《そば》でも雑煮でも、具材を変えて三日間使う。

三度の台所仕事より、長く家にいなければならないことのほうが気が重かった。正月とはいっても夫と交替で姑の世話をする日常があるだけだ。実の母親の下の世話をしながら女房に気を遣う秋津のほうが何倍も心の負担が重いだろう。

同じ立場の主婦よりも夫の置かれた状況のほうが複雑で、男であるぶん気詰まりではないのか。ことさら自分を卑下しないことも、すべては秋津のつよい自尊心ゆえだろう。自分は夫のそうした気持ちから生まれる劣等感に甘えて仕事を続ける。秋津も伶子の収入に頼る。

夫と姑は血の繫《つな》がった親子なのだし、と自分に言い聞かせた。うまくいっているのだと思う。

だからこそ、秋津とのあいだで「林原信輝」の話題に触れることにためらいがある。心の片隅で夫に同情している。

「じゃあ、先に風呂に入る」

下着を手にした夫の背に「いってらっしゃい」と声をかける。茶の間に介護ベッドを置くようになってからは、食事も団欒《だんらん》もダイニングテーブルで始まり終わるようになった。階下のテレビは一日中姑のものだ。

リモコンのボタンを押してみる。大晦日の午後はドラマの一挙再放送や映画、歌番組と特別番組であふれている。どのチャンネルにもあまり魅力は感じなかった。寝室はほどよく暖まっている。台所仕事はおおかた終わっていた。どこへ行く用事もないし、誰かがくる予定もない。夕食まではまだ少しあった。

机の上にある文庫本を手に取った。

『シェルタリング・スカイ』は、真夜中に姑の発熱につきあいながら観た映画だった。喉《のど》が渇くと伶子を呼ぶので、うとうとしかけては水を与え、画面を見ていた。秋津が二晩つきあったあとだった。

姑はいつも「お義母《かあ》さん、今日はわたしがおりますから」と言っても返事をしなかった。伶子ももう、無言の意思表示にいちいち心がぐらついたりはしない。姑のことは、倒れたときから長丁場を覚悟していた。

画面の中の砂漠の色に、自分はいつかこの景色を見たことがあると思った。海外旅行はしたことがない。けれど、映画で観るサハラ砂漠は、実際に見てきたことがあるように懐《なつ》かしかった。既視感とひとことで片付けることのできない映像から、目が離せなかった。

たった一本のＤＶＤのために、テレビとプレーヤーを買ってしまった。支払いや生活費、新しい年を迎えるための下着類や衣類。姑の介護にかかる積み立てや家の修繕費。各種税金や保険料。あれもこれも差し引いたあとに手元に残る賞与は、伶子に掃除機かテレビ・プレーヤーのセットかを選択させた。不思議と、両方という意識は持たなかった。自分のために使ったという満足感と秋津に抱く申しわけなさで、心の均衡を保っている。

両方買えば、自分がこの家の生活費を稼いでいるという優越感が生まれてしまいそうだった。伶子は、自分が欲しいものを優先させてしまったという罪悪感を取った。これでまた、彼らに優しくできる。姑と夫から、心が離れたところにいる自分を自覚する。腹の内で己の愚かしさを嗤《わら》えば、生ぬるい偽善に心を痛めることはなかった。

文庫カバーの両袖《そで》に、映画の一場面、砂漠色のポートレイトが印刷されている。黄金色と透き通った茶色を混ぜ込んだ景色だ。主演のデブラ・ウィンガーとジョン・マルコビッチが砂漠の色に溶けている。ページをめくった。

林原の言うとおりだった。翻訳ものの入門としては文章が面倒そうだ。立ったまま読み進める。十二ページではたと手が止まった。

『旅行者《トラヴェラー》は、いずれの土地にも属さず、何年もかけて、地球上のある場所から他の場所へとゆっくり移動する』

観光客《ツーリスト》は家に戻るが、旅行者《トラヴェラー》はずっと移動し続ける。背中に冷たいものが触れる。恐怖に似たもの。かたちのないもの。何度もその部分を読み返した。たった一行に心を試されているような気がしてくる。本を閉じた。

同じ本を読むことは、同じ場所へ旅をすることに似ていた。林原に安易な言葉でこの気持ちを伝えることはためらわれた。同じ場所を旅しながら、まったく違う景色を眺めていることもあるだろう。

時間差で同じ場所へ行くのがいいのかもしれない。

そう思いながら、同じ時間を共有したいとも考えている。振幅は止まらない。旅の発案者が自分であったことに気づき、動悸《どうき》が速くなる。手持ちの本とＤＶＤを差しだしたときの林原を思いだす。ともかく、と一息ついた。このあやふやで結末のわからない思いに、蓋をしなくてはいけない、誰に気づかれてもいけない。再び本を開いた。慣れない翻訳の文章を一行一行追ってゆく。林原はこの本を渡す際、自分の手元にはハードカバーの一冊があるから返さなくてもいいと言った。いつの間にか行間に男の思惑を探しながら読んでいた。

大晦日の食卓はいつもよりも少しだけ素材に贅沢《ぜいたく》をする。いちばん安いものを選ばないというだけで、豊かな気持ちになれた。煮物は味を薄めにしてあるので、今日は姑もおとなしく食べているようだ。もともと伶子が作ったものは彼女の口に合わない。元気なころは自分の食事は嫁が帰宅する前に済ませておくような人だった。今も味が気に入らないときは平気で吐き出す。そのくせ息子が用意したものは残さず食べる。機嫌が悪いときは秋津が気を利《き》かせて動いてくれるので、こちらも感情的にならずに済んでいる。母と息子、ふたりがしたいようにさせるのが一番だと、自宅介護を選んだときに腹をくくった。

食事もおおかた終わったころ、小樽《おたる》の実家から電話が入った。紅白が始まってすぐのことだった。音量を上げ続ける姑の手から、秋津がリモコンを取り上げたようだ。背後で秋津が「おかあさん、やめてください」と言った。哀願でも叱責《しっせき》でもない。彼らしい響きだ。

実家には姑の世話と仕事を理由に、もう二年以上帰っていなかった。大学に入学した十八から家を出ており、就職も唯一《ゆいいつ》採用通知をもらえた道東に決めた。三つ離れた弟が札幌で結婚していて、親との関係はすべて弟夫婦に任せきりにしてある。ときどき電話がかかってくるが、母親が口を開けば必ず弟の嫁の話になった。ひとの相談を辛抱づよく聞く職業に就いたのに、母親の愚痴だけは苦手なままだ。

母は伶子の体調や姑の様子、秋津のことなどひととおり訊《たず》ねたあと、今年は弟夫婦がやって来ないのだと言った。

「毎年大晦日は小樽で過ごすんじゃなかったの」

「こっちもそういう算段して待ってたんだけどね。今朝いきなり、やっぱり行かないっていう電話があったのよ」

「誰か具合でも悪いのかな」

それがね、と受話器の向こうから母のためらう気配が伝わってくる。どうやらまた、面倒な話のようだ。伶子は子機を持って階段を上がった。階段の踊り場に立ったあたりで母が告げる。

「子供を産む産まないで、揉《も》めてるみたいなんだよ」

「どういうこと、それ」

「公恵《きみえ》さんが、産みたくないって言うらしいの。それであのふたり、ちょっと面倒なことになってるみたいなのよ」

公恵とは、三年前の結婚式を含め二度会ったきりだった。一度目は弟の康志《やすし》とふたりで旅行がてら挨拶《あいさつ》をしに道東旅行にやってきたとき。札幌の放送局に勤めていると聞いた。

伶子は子機を左手に、空いた右手に文庫本を持った。ベッドの縁に腰掛ける。

「面倒って、どういうことなの」

「だから公恵さんが、どうしても子供を産めっていうなら別れるって言ってるらしいんだよ」

「康志がお母さんにそう言ったの」

「来れない理由をしつこく訊《き》いてようやく白状したのよ、あの子」

弟夫婦がうまくいかなくなっている理由には、この母も絡んでいるのだろう。母親に電話口でしつこく訊かれたくらいで、夫婦間で納めねばならない話を漏らしてしまう。弟は、母親にとっては優しい息子でも、妻にとってはだらしなく厄介な男だ。

三十七の夫が自分たち夫婦のあいだにあることを母親に告げていると知ったら、それだけで離婚理由にできるだろう。白状させる親も親だし、言ってしまう息子も息子だ。

「放っておいたらいいじゃない。お母さんが口をだしていいことじゃないでしょう」

「だけどお前、わたしは子供ふたり産んでちゃんと育ててきたのに、孫のひとりも抱けないなんてひどい話だろう」

「そんな調子で毎度毎度、正月のたびに同じこと言われていたらわたしだって行きたくなくなるけど」

「お前にはもう期待していないよ。そっちのお義母さんのこともあるし。同じ離《わか》れるなら、お前のほうがこっちはすっきりするんだけどね」

どういう意味かと問うた。だって、と母が言った。

「お前のところといったら、まるきり夫婦逆転してるじゃないの。女房を外で働かせて、秋津さんは好きなことしてるし姑は寝たきりだし」

「それ、ちょっと言い過ぎだと思わないの。わたしが姑の介護をして彼が外で働いてっていう、逆なら納得できるわけ」

「こっちで就職先を見つけて、もっとちゃんとした男と一緒になるものだって思ってたのに」

この話になると、堂々巡りが始まる。母との会話で沈み込んだ気持ちを持ち上げるのはひと苦労だ。もともと秋津との結婚に反対していた母との会話は、十年経った今でも変わらない。痛いところを見つけては突いてくる。「娘のため」という大義名分があるぶん、始末が悪かった。

「ねぇ、もっといい話はないの。今日で今年も終わっちゃうっていうのに」

母は休み中にいちど小樽に来てほしいと言った。弟夫婦のことも含めて、話があるという。今年もあと数時間で終わるときにしたい話ではない。

「面倒な話なら勘弁してほしいな。あんがい康志もそう思って行かないのかもよ」

「公恵さんが、お前に会いたがってるって言うんだよ。康志からは連絡がないのかい」

弟夫婦がそんな厄介ごとを抱えているのも、今知ったばかりだ。ないと言うと、とにかく一度小樽に来いとたたみかけてくる。

「わかった。龍さんに訊いてみる」

「駄目だとは言わないだろうよ。お前に食べさせてもらってるんだから」

「それ、やめてちょうだい。わたしが不愉快だから」

母はすかさず戦略を変え、急に弱々しい声になる。

「わたしも、お前と話したいことがいっぱいあるんだよ。お願いだからたまにはお父さんに、ひとり娘の元気な顔を見せてあげてちょうだい」

涙声だ。母の願いごとのおおかたが誰かのためという理由を持っているのは、子育てと生活に埋もれてしまった自分への諦《あきら》めと、あれもこれも上手く切り抜けているうちに身についた処世術だろう。そういう生きかたもある。否定はできない。承知しなくては通話を終えられそうになかった。「わかった」と言って、ようやく解放された。子機をベッドに放る。首をぐるりと回す。うなじのあたりから、油の切れた蝶番《ちょうつがい》の音がする。

文庫本に視線を落とした。こうして、ひとつところに留まっていてさえ、自分はゆっくりと移動しているのではないかと思った。本人さえ気づかぬくらいの速度で、次の場所へと移動し続ける。どこへ向かっているのかもわからない。けれど、確実に移動し続けている。

携帯にメールを打ち込んだ。

『今年ももう終わりますね。お借りした本を読み始めました。旅行者か、観光客か、とても興味深い一文に出会いました。新しい年も、どうぞよろしくお願いいたします。　秋津伶子』

送るかどうか数秒ためらう。

「ためらうくらいなら」と、打ち込んだメールを消した。

年明け十日。伶子は札幌で義妹の公恵に会うことになった。

小樽の実家へ行ってくるという伶子を、秋津は「親孝行しておいで」と快く送りだしてくれた。札幌の空は思ったよりずっと低い。地下鉄中島公園駅から地上に出た。大粒の雪がゆっくり落ちてくる。公恵との待ち合わせ場所は中島公園駅近くにある「パークホテル」のロビーだった。

釧路から札幌までの鉄路、四時間の半分は眠り、半分は文庫本を開いて過ごした。そろそろラストに近づいている。年始め、一度目の教室日にメールした以外、林原とは連絡を取っていない。DVDや本の感想を伝えてもいなかった。読むのに時間のかかる人間か、ひどい無精者だと思われているだろう。実際、自分でも驚くほど時間がかかっている。なじみのない翻訳文に加えて、ときおりこちらの胸を突くような一行に出会ってしまう。気持ちをかき乱され、同じ歩幅で物語の中を歩くことができなくなる。

フロント前にあるソファーに座った。脱いだダウンコートを傍らに置く。待ち合わせ時刻の午後一時まで、あと十分あった。

カバーをかけた文庫本を開いて五分も経たぬうちに、黒いパンツスーツにグレーのコートを羽織った公恵が現れた。全身から、三十を迎える女の自信と色香が漂っている。

公恵を見て、恋愛小説ばかり読んでいたころ自分もこんなふうに未知のものを内側にたくさん抱えていたのだろうと思った。抱えきれないものが漏れだしたころ、秋津に出会った。

「一度、こうしてお目にかかりたかったんです」

いうレストランの席に着くなり、公恵が言った。二時間、外出届けをだしてきていると
いう。松の内も去り、正月気分もそろそろ抜けかけている。
公恵は伶子の好き嫌いを訊ねながら、慣れた仕草でランチを注文した。きびきびと
した様子から職場での気配を想像する。
「すみません、お忙しいのに。お義姉《ねえ》さんには年末年始に小樽に行かなかったことで、
ずいぶんご迷惑をおかけしたと伺っています」
「ちょうど実家にも行かなくちゃいけないって思ってたし。たまに列車の旅も悪くな
いわ」
大晦日から結局、毎日母からの電話を受けることになった。「雪が降っている」「寒
い」。すぐに母の話は弟夫婦への愚痴に変わった。去年まではおそらく逆で、弟夫婦
が秋津と伶子についての愚痴を聞いてくれていたのだろう。
公恵は夫の康志抜きで会えたことを喜んでいると言って笑った。夫の隣にいるとき
は奥ゆかしさと芯《しん》のつよさ、気のつよさが見えたり隠れたり、どこかつかみどころの
ない感じのする女だった。自分より十歳下で職場が放送局という、彼女が伶子にとっ
て未知の華やかさを持っていることに多少気後れしていた。
伶子の家系は教職員が多かったし、父も教師だ。当たり前のように弟も中学の教師

を選んだ。伶子は高校を卒業するころになっても就きたい仕事を見つけられずにいた。結果、伶子も毎日「学校」に通うことを選んだ。みんな小学校に上がってから「学校」にしか行っていない。これはこれで、おかしなことだろう。

今日の公恵は仕事場の雰囲気をそのまま身にまとっている。時間が限られているのも、まわりくどい気遣いがないのもありがたい。ナイフとフォークを持つ手も、見ていて気持ちがよかった。公恵の視線がレストランの外に向けられる。大粒だった雪が小さくなり、流れるように空から落ちてくる。窓を見てから数秒後、彼女は唇の両端を上げた。ひとつ訊ねてもいいかと問われ、どうぞと応《こた》える。

「お義姉さんは、いつくらいから離婚を考えていらしたんですか」

公恵がコンソメスープをすくい上げた。伶子はなんの話だろうと一瞬首を傾げた。

公恵が眉《まゆ》を寄せる。

「お義姉さんのほうは時間の問題って伺ってますけど」

「離婚って、誰がそんなことを言ったの」

今度は伶子の眉が寄った。沈黙。離婚の危機にあるのは弟夫婦で、伶子はその相談を受けるということでやってきた。弟を介して会いたいと言ってきたのは公恵だった。会うのは三度目だし、身内としての意識も正直なところ希薄だ。お互いに家庭を持ってしまえば、姉弟などこんなものだと思っている。公恵の牽制球《けんせい》に戸惑いながら、平静を取り戻すために水の入ったグラスに手をのばした。

「カウンセラーとしてのアドバイスに加えて彼女の真意を訊いてほしい」というのが母の頼みだった。丸く収まるように、という期待も感じている。

「今日お会いしたのは、正直そういうお話じゃないと思ってたわ」

公恵がメインディッシュの魚料理を切り分けながら、乾ききった声で笑った。

「お義姉さん、言葉は悪いですけど、わたしたち、もしかしたらお義母さんに一杯食わされたんじゃないですか。大晦日からずっと、後生だから一度お義姉さんと話してみてくれって毎日電話をもらってたんですよ、わたし」

「一杯食わされるって、どういうこと」

「お義母さんは、お義姉さんに家に戻ってもらいたいんですよ。ついでに嫁に孫を産ませるという、盤石《ばんじゃく》な老後の設計図があるんです。これから小樽へ向かわれるんでしょう？　きっとドキドキしながらお義姉さんからの報告を待ってますよ」

食事のため口紅を拭《ぬぐ》った彼女の唇は、もう社交辞令や義理の関係など振り切っている。弟の嫁でなければ、あまりの清々《すがすが》しさに拍手をしてしまいそうだ。何か諍《いさか》いが起こったとき、母はこの嫁には敵《かな》わないだろうと思った。孫の誕生に活路があると信じのは、老いて心細くなった心の自然な流れなのだ。姑《しゅうとめ》となった母にとって彼女の聡明《そうめい》さは、急いで足かせを与えないと逃げられてしまいそうな危うさに満ちている。長女の伶子が実家に戻り、ときどき内孫がやってくる生活。母が描いた設計図で常に中心を守っているのは母自身だった。公恵の持つ伶子の情報がどこまで正しいのかわからない。母も弟夫婦も、みなそれぞれに思い描く理想がある。すりあわせてゆくのは至難の業だ。

「公恵さんは、どうしたいの」

公恵の表情が陰った。メインの魚料理を器用にすくい、ふたくち食べる。白身魚にクレソンをのせる。正直を言えば、と彼女が口を開く。

「わたしは仕事を続けたいんです。福利厚生もしっかりしているし、決して産めないような職場ではないんですけど。今は中断したくない。お義母さんがどうしてもすぐにって言われるのなら、康志さんとは別れます。わたしたちふたりの問題じゃなくなりますから。ここでお義母さんに諦めを強いるのは大人の行動とは言えないですし」

最後のひとことは極上の脅しだ。あるいはあてこすり。わかっていて言っている。公恵は頭のいい女なのだろう。でも賢くはなさそうだ。向こう気の強さは嫌いではない。弟の嫁でなければ会話も楽しい。職場でも頼りにされているに違いない。あるとき、不意を突くように子供のいる暮らしを思い描かなくなる時が、自分にもあった。

母が伶子の離婚を望んでいるというのは、ただのはったりではなかった。公恵の言葉にも妙な説得力がある。

伶子は公恵と会ったことで、自分が秋津家に留まっている理由を改めて考えざるを得なくなった。母親に対する意地もある。思い通りにはなりたくない。いざ蓋を開けてしまうと、自分がひどくつまらないものに左右されていることがわかる。

「それは、わたしより母に直接言ったほうが効果があると思うけど」

「設計図どおりに行けば、お義母さんの興味はしばらくお義姉さんに注がれますよね。そのあいだ、わたしたちのことは保留です。時間稼ぎ。そうこうしているあいだに再婚話が持ち上がって、今度はお義姉さんが孫作りの標的になるかもしれない」

母がそこまで深く考えているかどうかはわからないが、無意識でも虫のいいことを思い浮かべることは容易に想像がついた。母は毎日、来る日も来る日も暇なのだ。

「残念ながら、離婚の予定はないの。考えてもいない。夫にはわたしが必要だし、わたしにも彼が必要。今の言葉は又聞きというより憶測でしょう。公恵さんの希望ということで聞いておきます。とにかく、弟とうまくやってちょうだい。実を言うとわたし、波風は立てるのも聞くのも、あまり好きじゃないの」

公恵は瞳を斜め上に向けて伶子の言葉をかわすと、ちぎったパンに皿のソースをつけて口に運んだ。パンが喉へと落ちてゆく。ミネラルウォーターがその後を追う。いずれにせよ、といくぶんつよい語気で彼女が言った。

「子供は産みません。もしも将来的に産んだとしても、康志さんの子だっていう確証はないです」

デザートがでてくるまで無言でいるしかなかった。ひとくち、甘いものを口に入れてようやく落ち着いた。気持ちの整理などつくはずもないが、これだけは訊いておかねばならない。

「どうしてわたしに会おうなんて思ったの。どのみち決めたことがあるのなら、いまさら義理の姉になんか会う必要もないでしょう」

公恵はデザートのブラウニーに生クリームをのせたあと、フォークを持つ手を止めた。つややかに光るベージュのマニキュアに視線を落とす。それまで公恵がまとっていたつよい気配が消える。目元から頬、唇から肩先にあった華やかさが、急に萎《しぼ》んでしまった。伶子の手も止まる。

「康志さんからずっと、お義姉さんが実家に寄りつかないって聞いていたんです。お義母さんと、きっといろいろあるんだろうなと思って。でもお義母さんも彼も、自分に都合のいいことしか言わないし。お義姉さんとはいちどちゃんとお話ししたいと思ってたんです。あの家の、敵じゃない人と話したかった」

口もとがわずかに歪《ゆが》んだ。

「誰も、別れたくなんかないですよ」

皮膚の内側へと沁《し》みこんでくる。そうね、と返す。ひと呼吸おいて公恵が続ける。

「でもわたし、康志さん以外に好きなひとがいます。さっきお義姉さんも言っていたように、彼にはわたしが必要だし、わたしにも彼が必要なんです」

公恵から視線を外し、紅茶を注ぐ。伶子はできるだけ微笑んだ。ついさっき自分が放った言葉に傷つくとは思わなかった。

「康志さんを嫌いになったわけじゃないんです」

硬い頬にむかって、伶子はゆっくりとうなずく。

「誰も、嫌いになんかなれません」

もういちど深くうなずいた。

「本当は仕事以外のこと、なにも考えたくないんです」

公恵の目から大粒の涙がこぼれ落ちる。バッグからティッシュを取りだし、テーブルの向こう側に滑らせた。一枚二枚、涙が吸い込まれてゆく。目元の化粧が崩れるのもかまわず泣いている。拭ってはあふれる。

彼女の透明な若さに触れ、胸がきしんだ。義妹の内側で育っている恋を責めることができなかった。たった十歳、と思う。たった十年のあいだに、自分が手放したものの多さを思った。公恵を見ていると、胸奥にさざ波が立つ。

このことは自分の胸にしまっておくから、と伝えた。公恵は「言ってもかまわない、そのくらいの覚悟はある」と更に泣く。伶子は「自分は伝書鳩《ばと》ではないから」と断った。

「すみません。こんなことまで、言うつもりじゃなかったんです」

「なにも思わなかったことにするのは無理だけど、聞かなかったことにはできるの。だいじょうぶよ。わたしは誰の肩を持つこともできないみたい。弟のことも実家のことも、なんだかすごく遠い感じ。うまく言えないけど」

雪が止《や》んでいた。公恵が会社に戻る時間が近づいていた。

化粧室に寄った彼女をロビーで待った。夕ぐれに向かう街の景色は、道東とは違う色をしている。バッグの中で携帯電話が震えた。取りだそうかと手をのばしたところで公恵が戻ってきた。彼女の華やかな気配とともに、ロビーの喧噪《けんそう》が舞い戻る。

「今日はありがとうございました。いろいろすみません。でも、会えてよかったです」

「手放しで応援できない立場で、ごめんなさいね。夫婦のことはふたりで解決するのがいいと思う。わたしにできるのはこうしてお話を聞くことくらいなの。いつもそう。実家に寄りつかないのは本当。母親の話だけは冷静に聞けないみたい。逃げきれないことを本能的に知ってるのね、たぶん」

公恵が笑う。目元の化粧が直されている。伶子も同じように笑顔を返す。ランチを終えた女性客たちが数人ロビーから出て行った。ふたりの前を一月の外気が通り過ぎた。自動ドアの手前で公恵が立ち止まった。

「わたし今、単発だけど地元制作のドラマを作っているんです。秋には放映されます。それまでにちゃんと答えをだそうと思っています。もしかしたら、ご迷惑をおかけすることになるかもしれません」

こうした話のときはいつも「自分の思うように」と伝えている。たとえ弟の妻でも伶子の心に落ちてくる景色は同じだった。いったいこの冷たさはどこからくるのか、伶子自身にもわからない。相談ごとの対応にセオリーなどないはずなのに、と思う。気づけば最後は同じような心もちになっている。

どんなドラマなのか訊ねた。

「離島に飛ばされた女医の話です。雪が溶けたら、島のロケに入るんです」

「そう。でもまだ一月よ。秋まで半年以上ある。それだけ自分に考える時間を許すってことは、公恵さん自身にまだ結論が出ていないってことだと思うの。あまり自分を責めちゃいけない。悩むってことは、ある意味誠実なのよ」

「誠実ですか、わたしが」

「不誠実なひとは、悩んだりしない。憎まれることを予測できる相手と会ったりしないと思う」

「お義姉さんの前で、とことんいやな女になろうって思ってました」

首を振る。彼女が本当にいやな女になるにはもう少しかかりそうだ。公恵が今日いちばんの笑顔になった。泣いているようにも見える。伶子がどこかに置き忘れてきた若さだ。まぶしい。

「体に気をつけてね」

伶子が胸元でちいさく手を振ると、公恵が一礼して背を向けた。彼女はビルの角を曲がるときもこちらを振り向かなかった。

地下鉄駅に降りる階段の踊り場で、携帯電話を開いた。メールが一通入っている。林原だった。

『出張で札幌にきています。こちらは雪です。思ったよりも寒いです。純香も連れてきています。明日の教室はお休みさせていただくこと、お伝えするのをすっかり忘れてしまいました。秋津先生には午前中に連絡いたしました。すみません。よろしくお願いいたします　林原』

階段を駆け上った。再び雪が降り始めていた。粉雪だ。気温が下がり始めている。見上げた空から伶子に向かって雪が落ちてくる。熱い頬で溶ける。再び携帯電話を見る。メールを読み返す。

不誠実な指先で返信した。

『わたしのいる札幌にも、雪が降っています　秋津伶子』

7

その日伶子を送り出してから、秋津の内側はさざ波が大きくなるばかりでひとときも落ち着かなかった。母親とふたり取り残された家で、ひと晩過ごす。予想される惨《みじ》めな気持ちに耐えられない。卑屈な思いは、伶子が小樽へ行くことを決めた一週間前から、時を追うごとに膨れあがった。昨日からは筆を持つことにさえ苛立つ始末だ。そうした思いからも母からも、逃げたい。秋津の願いはもう「ひとりの時間がほしい」というひとつきりしかない。

秋津は伶子を見送ったあと、デイサービスの受付時間を待って電話をかけた。

「すみません、急なことで申しわけないんですが、今日から一泊で、母をお願いすることはできないでしょうか」

秋津は今まで「母親を預ける」という発想がなかったことに驚いていた。伶子が実家の様子を見てくると言いだしたときなぜか、不意を突いてそんな思いが立ち現れたのだった。伶子の実家が秋津のことをどう思っているのか、だいたいの想像はついている。一度浮かんでしまった思いを再び意識の底に沈めるのは難しかった。

妻の留守にひとりの時間を得る。後ろめたい。もしも自分が生活をまかなえるだけの収入を得ていれば、と思う。後ろめたさが更に秋津を高揚させる。妻にひとつでも秘密をつくるという事実に気持ちが高ぶっている。

電話の向こうで、受付事務員の朗らかな声が響いた。

「秋津さん、今朝ちょうどキャンセルがあったばかりです。お迎えは十一時で、明日のお帰りも同じ時刻ということでしたらだいじょうぶですが、よろしいですか」

「ありがとうございます。お願いします」

ラッキーでしたねという言葉にやましさを撫《な》でられ、うまく返答できなかった。

送迎車がやってくるまでに、あと一時間。急いで母の寝間着や下着、紙おむつやバスタオルを手提げ袋に詰める。テレビのチャンネルが数秒ごとに変わる。コマーシャル、笑い声、拍手、歌、前後のわからぬ台詞《せりふ》。母の機嫌が悪いのはあきらかだった。

「おかあさん、ちょっとさびしい思いさせるけど、許してください」

チャンネルの切り替えが更にひどくなった。音量が上がってゆく。ベッドのそばに立つ。母の目尻《めじり》は深い皺《しわ》とともにとろりと下がっており、内側に怒りを溜《た》めているようには見えない。リモコンを取りあげ音量を下げる。母は目を瞑《つむ》り、息子の苛立ちをはねのけた。

「おかあさん、僕はすこし疲れてます。今日はおとなしく外泊してくれませんか。ひと晩だけぐっすり眠れる夜をください、頼みます」

数秒おいてもう一度「頼むから」とつぶやく。口をいびつに開けた母が、いびきをかき始めた。秋津は自分の喉になにか詰まっているような気がして、台所で水を飲んだ。いくら水を流し込んでも飲み込んでも、数秒で喉の奥に塊が戻ってくる。コップに三杯飲んだところで諦めた。

十一時ちょうどに迎えのワゴン車がやってきた。玄関先まで秋津が背負い、ケアワーカーの手を借りて車椅子《いす》に座らせる。着替えと紙おむつを多めに入れた手提げ袋を渡した。財布から一泊ぶんの料金を支払う。年末に伶子から渡された金の一部だ。

「生活費とは別だから紙や筆に使ってほしい」と妻は言う。伶子は賞与のあった月はそういった名目で秋津に金を渡した。短い礼とともに、ありがたく受けとるが、秋津はいつもその一瞬、妻を憎んだ。

リフトを使いワゴン車に乗せられても、母は息子のほうを見ようとしなかった。秋津は車が通りを曲がるまで見送った。

テレビの音がしない家で、洗濯物を干す。積もるほどの雪も降らないし、街の空気は乾いている。薄手のタオルなどは干したそばから乾いてゆく。母を送り出したあとは秋津の心もちも乾いていた。不思議なほど罪悪感がなかった。

伶子も、母も、純香もいない。

自分を脅《おびや》かす才能や、妻の体の奥から感じ取る軽蔑《けいべつ》、母の要求も哀願もない。しだいに、それらの脅迫めいた気持ちがすべて自分の心のかたちではなかったかと思えてきた。目の前になければもともとなかったことにできてしまいそうだ。都合のいい感情がゆらりと胸奥に立ち上がる。心根のおぞましさにバスタオルを干す手が止まった。

ひと心地ついて、冷蔵庫にプリンがひとつ残っていたことを思いだした。昨夜伶子が「おいしそうだったから」と買ってきたものだ。母には今日の昼食で食べさせる予定だった。賞味期限は今日まででではなかったか。考えると急に甘いものが欲しくなり、秋津は冷蔵庫のドアを開けた。

菓子類は目の高さの棚に置くようにしていた。上下三段をくまなく見たが、プリンは見当たらない。三つあったうちのひとつだった。秋津も伶子も昨夜風呂《ふろ》上がりに食べたので、母の分は残っているはずだ。それがない。長く冷蔵庫のドアを開けているのもためられて探すのを諦めたが、出かける前に伶子が食べたとも思えず、秋津は首をひねった。

午後六時、秋津は幣舞橋を渡り繁華街へと向かった。母が倒れてから一度も訪れることのなかった場所だ。すっかりさびれた繁華街にも、懐かしい看板がいくつか残っている。人通りの少なさが秋津をうら寂しい気持ちにさせた。いくら平日とはいえ、新年会シーズンだというのにまるで人とすれ違わない。郊外飲食店に、タクシー代にほんの少し上乗せするだけの運転代行サービスが参入しているという新聞記事を思いだした。

伶子から渡された金を紙と筆以外のものに使ってしまったあとは、財布の紐《ひも》もゆるくなっていた。家の電話が鳴ったとしても、二階でテレビを観ていたか風呂に入っていたことにすればいい。電話にでられない理由をいくつか用意した。理由がなければ一歩も前に進めない自分を嗤う。

風が冷たかった。ダウンジャケットと手袋、フードを被《かぶ》っていても耳がちぎれそうだ。予想最低気温はマイナス八度だが、風があるので体感温度はもっと低いだろう。古いラーメン屋の前で足を止める。暖簾《のれん》に手をかけた途端、母を他人に預けた罪悪感が舞い戻ってきた。息子を見ようともしなかった母の姿が、蛇腹のように伸びたり縮んだりを繰り返しながら秋津をもてあそんでいる。結局、失《う》せた食欲を取り戻すことができずラーメン屋には入らなかった。

ふらふらと繁華街を歩いているうちに、スナックの看板が目に入る。『Tundra』。工業高校の講師をしていた頃、伶子と物理教師の関係に気づいた店だった。つまらないことを覚えているものだ。冷たい風が襟首やダウンの裾《すそ》から入り込む。

秋津はドアを開けた。

カウンターが十席と一メートルほどへこんだ壁側がボックス席という、ちいさな店だった。壁に掛かっている絵もコピーのルノアールと、店の中は何も変わっていない。客はひとりもいなかった。腕の時計を見る。まだ七時前だ。スナックが混む時刻でもないし、だいたい繁華街に人がいない。

店内の様子は変わっていないが、馬面《うまづら》のマスターの代わりに着物姿の女がカウンターの中に立っていた。客がいない店のカウンターに座るのは勇気が要る。秋津が動きを止めるよりほんの少し早く、着物の女が「いらっしゃいませ」と言った。

三十代半ばに見えた。黒地に小花を散らした着物姿だ。白い半襟がダウンライトに映える。女が秋津の上着をハンガーにかけた。彼女が動くと後頭部でまとめ上げた髪や襟足からかすかな香のにおいがする。

開かれたおしぼりが秋津の手にのせられた。

「初めまして。今日は冷え込んでますね」

「久しぶりにきたんだけど、マスターはお休みですか」

「そのかたきっと前の経営者ですね。わたしがここを引き継いで二年になります」

雇われなのかと問う。「いいえ」微笑《ほほえ》みが返ってきた。いい質問といえなかった。素直に謝る。

「何にしましょうか」

ビールを、と言いかけてやめた。女の背後にある棚に、色とりどりのラベルが並んでいた。銀色のシェーカーが大小あわせて五つ。

「カクテルもあるんですか」

「うちは、カクテル専門なんです」

涼しげな目元に、バラライカを頼んだ。着物姿でどうやってシェーカーを振るのか見てみたかった。これだけの道具を飾りながら出来合いのリキュールを使ったならいい笑い話だ。

秋津のひねくれた期待に反して、女はカウンターの下から赤く長い紐を取りだした。端を唇にくわえて紐をくるりと背中で交差させる。最後に左胸のあたりで結ぶ。スミノフ、銀のメジャー、氷。鮮やかな手さばきで調合する。結んだ赤いたすきの端が銀のシェーカーと一緒に揺れた。

差しだされたバラライカをひとくち飲んだ。旨《うま》かった。外で飲む酒の味などとうに忘れたと思っていた。胸が苦しい。ふたくち。言葉がない。勢いづいてオリジナルカクテルを頼む。職業を訊ねられ「ヒモ」と答えた。

彼女が立て続けに赤いたすきを三度揺らしたところで、はったり半分で訊ねてみる。急激に回った酔いが無駄口を連れてくる。

「着物でシェーカーか、いいアイディアだ。すごいな。その腕、どこで修業したの」

彼女は目を伏せ「自己流です」と応える。すぐにミネラルウォーターがでてきた。馬鹿《ばか》にしたつもりはないが、質問が間抜けだった。酔ってしまう前に店を出るべきだったと、そのときようやく気づいた。

母の宿泊代とカクテル代で、財布の中にあった金の半分が消えた。

家に戻り、熱いシャワーを浴びながらあっけなく上りつめた。欲望に見放され膝《ひざ》を折る。秋津はシャワーの下で声を上げて泣いた。

気が遠くなりそうな怠《だる》さと後悔のなかベッドにもぐり込む。誰もいない夜、なにもない夜のしじまから眠りをかき集める。ひとつひとつ今日の記憶を消す。三杯目のカクテルの名前を忘れた。自分さえも消えてしまいそうだ。消えてくれ。隣の枕《まくら》に手を伸ばす。伶子の香りがする。深い眠りにおちた。

飽きるまで朝寝をして、ベッドからでたのは午前九時だった。軽く寒気がする。慌《あわ》てて
ストーブのスイッチを入れた。台所へ行き葛根湯《かっこんとう》を飲む。水道水がやけに苦い。昨日使った皿やカップが洗い桶《おけ》の水に沈んでいる。台所を片付け、洗濯物をたたんだ。介護ベッドのシーツを取り替え、洗濯機に放り込む。母が戻ってくるまでにしておくことが次から次へとでてくる。

留守電に伶子の声は入っていなかった。気持ちのどこかでほっとしている。今は母を昨日と同じ状態に戻しておくことが先決だった。

帰宅予定の十一時から五分過ぎ、家の前にワゴン車が停まった。急いで玄関を開ける。乾いた風が一気に廊下になだれ込んでくる。寝間着の上に厚手のオーバーを着た母が車椅子ごとリフトで降ろされる。背もたれについたハンドルを押しながらケアワーカーが微笑んでいる。

「とてもおとなしくされてましたよ」

無表情の母から目を逸《そ》らし、一礼した。

上がりかまちに母を座らせ、ワゴン車を見送る。秋津は玄関の引き戸を閉めて、郵便受けに挟まっている封筒を抜き取った。『墨龍会』からの「受賞パーティー」の案内状だった。受賞作品を含めた入賞者の作品展は半年かけて全国を巡回し、土地ごとの交流会もあるらしい。道内の入賞者のなかに、知った名前をいくつか見つけた。滅入《めい》りそうになる心を持ち上げる。

サンダルを脱がせようとかがみ込んだ秋津の視界から、母の足が浮き上がった。毛玉だらけのくつ下が目の前を通り過ぎ、母の寝間着がくるりとオーバーの背中に変わった。

秋津は一瞬、自分の背丈が急激に縮んだのではないかと思った。違う。三歩、四歩。母が廊下を歩いてゆく。自力で歩く姿を最後に見たのはいつだったろう。それは秋津自身がすぐには思いだせないほど過去の景色だった。

父が生きているころに買ったグレーのオーバーは、品物と縫製の良さがひと目でわかる。背中の縫い目はよれることも曲がることもなく、優雅に裾を揺らしながら廊下を進んでゆく。

母が茶の間と台所へ続くドアに手をかけた。

「おかあさん」

ゆっくりとした仕草で振り向く。

秋津の心臓がつまずきながら鼓動を続ける。

片頬しか動かせなかったはずの母の口角が、均等に持ち上がる。

「おかあさん」

夢ではないことを確かめるため、大声をだす。廊下に反響して、耳に戻ってくる。

母の笑みはすぐに白髪の後ろ姿に変わった。閉じられたドアに向かって駆けだす。急いでいるのに、少しも前に進まない。

秋津が室内に入ったとき、母はすでに介護ベッドに横になり、テレビのリモコンスイッチを押していた。

目にも耳にも、日常が戻ってくる。

秋津を縛りつけて離さない日常が、再び始まった。


二月に入った。

道東にも少ないながら雪が降り、歩道の隅に寄せられている。秋津が幼いころはもっと積雪が多かったように思う。気温も氷点下二十度になる日が何日もあった。夏と冬、プラスもマイナスも二十度の街だ。今はもう少し高いというが、秋津自身も年を重ねていて、はっきりとした違いを感じ取るのは難しい。

教室が終わったあと、小一時間純香の筆運びを見るのが約束になっていた。筆を替え、墨を調合し、紙を選んで書かれるのはすべて贋作《がんさく》だ。表装して時間を置いて真贋を鑑定させたら面白いことになるだろう。今の技術ならば人工的に酸化や日焼けを施し、掛け軸を古くすることなど簡単ではないか。

秋津は純香の才能が世間に出てゆくことで生まれる混乱を想像しては面白がっている。一幅書き上げた背中に向かって声をかけた。

「純香さんそれ、上河八十介の『野鶴《やかく》』でしょう、おみごとですね」

「そうです。『野鶴』は八十介がいちばん余白を美しく取っています」

純香はそう言うと、本来ならば落款《らっかん》で全体が引き締まるはずの場所に十センチ角の×印を付けるのだった。秋津はこの娘と初めて会ったときに言われた「この幅からでてこない」という言葉を思いだす。ずいぶん前のようにも思えるが、まだ出会ってから半年も経《た》っていない。自然と笑みがこぼれてくる。なんだ、既存の作品から飛びだせていないのはこの娘ではないか、と大笑いしたくなる。

秋津は純香の才能を笑いながら、同じくらい畏《おそ》れている。彼女がひとたび「自分の筆」に目覚めたら、誰も手をつけられなくなるのだろう。無心で書かれたものは、ひとの評価を許さないものになる。秋津はその第一歩を見るのは自分でなければならぬと思う。『墨龍展』での敗北感は遠くなりつつあった。純香の変化を見届けることが、新たな目標になっている。

「秋津先生は、なにも書かないんですか」

「うん、僕はいいよ。純香さん、お好きなものを書いてください」

「先生もたくさん書かなければ、上手《うま》くなれませんよ」

「そうだね。でも、もうずいぶんとたくさん書いてきました。けれど普通のひとには、超えられない壁とか限界とか、自分でもどうにもならない気持ちとか、いろいろあるんです」

「それは、額のことですか」

秋津は少し考え「そういうことなんでしょう」と応えた。純香はみごとに再現された八十介の『野鶴』を、壁のマグネットボードに垂らした。八十介の筆致そのままの、擦《かす》れと伸び。おそらく書く速度も再現されている。純香は「今日の一枚」を壁に掲げる際、秋津がうんざりするほどの笑顔になった。普段は無表情でいることが多い純香がひとたび「今日は誰それの『空即是色』です」と言うと部屋の空気が一瞬軽くなる。そのあとは、死した書家が舞い降りたかと思うほど密度の濃い空気が漂い始める。空気が重いなどという経験は初めてだった。大学や留学時代に見た、高名な書家の講義や実技でも、ここまでの緊張感を与えられたことはない。

そして最後に入れられる×印だった。純香の祖母がそうすることを課した理由は想像がつく。「贋作」という才を使いこなして世に出たり騒がれたりするには、もっと人間くさい欲望が必要になってくる。持ちつ持たれつという言葉の意味すらこの娘には通用しない。彼女の才に惚《ほ》れる者がいることも、同時に心底傷つく者のことも理解しないしできない。

純香が墨を調合し、筆を選び、紙を広げる。秋津が見る限り、擦れの箇所も墨継ぎも、本家がやや息切れしたであろう部分も、そこを覆《おお》うために膨らませた筆痕《ひっこん》もすべて同じものが五幅、壁に並んでいる。もう、何を見ても驚かなくなっていた。彼女が入れる×印もあたりまえに思えている。逆に×印を入れてくれないと、破り捨てることもおそろしい。

筆を持たせ、好きなものを書かせ始めてから一か月が経とうとしていた。彼女が「今日の一枚」を書くたびに、秋津の体から地位や名声という不確かで香りのよい欲が抜けていった。純香が書いたものは、彼女の希望でその日のうちに破り捨てなければいけなかった。

――おばあちゃんとの約束ですから。

最初こそ抵抗を覚えたが、今は言われたとおり破ってゴミ箱へ捨てる。純香が書くのは「書家が遺《のこ》した最高傑作」と言われるものばかりだった。石板から起こした古典の「臨書」には不思議なくらい魅力がない。一瞬、完璧《かんぺき》に見えるのだが、筆運びの完璧さだけでは「お上手」なものにしか見えなかった。「写経」は写経の域を出ない。「上手い下手」があるだけで、そこから一歩も動かない。印刷と同じだ。ただひとたび秋津が臨書したものを模写させると、筆痕とミスを完璧に再現できた。模写の技能と、そこから派生した半歩の独自性で留まれば、純香はさぞ高名な書家になっただろう。彼女はそれを「贋作」にまで昇華してしまう。とことん筆に愛されてしまっている。習字の先生にはなれても、書家にはなれない。世間がひとたび純香に気づけば、本人は当然ながら周囲も大きな痛手《いたで》をうける。だからこそ彼女の祖母は必ず×印を入れることとすぐに破り捨てることを課したのだろう。

秋津は命じられたとおり、今日書かれたものを一枚一枚細かく破った。純香の祖母が生前していたことを、秋津が引き継いだかたちになっている。最後の『野鶴』を破りながら訊《たず》ねてみた。

「お祖母《ばあ》さまは、純香さんの書くものについてなにかおっしゃっていましたか」

洗った筆の先を反故紙《ほごし》の裏で整えながら、首を傾《かし》げている。秋津は質問を変えた。

「お祖母さまは、純香さんが筆を持ったあと、なんて言ってましたか」

ようやく合点がいった様子で、純香が応える。

「おばあちゃんは、なにも言わなかったです」

「でも、書いたあとは必ず×印をつけなさいと言ったのでしょう」

「はい。それは約束です」

「その約束を不思議だとは思わなかったんですか」

純香は首と一緒に体まで斜めにして「そんな質問をする先生のほうが不思議です」と言った。後ろでゆるく結わえた髪の束がゆらりと肩から垂れ下がる。小声で「不思議ですか」とつぶやいた。純香も「不思議です」と言って、洗った筆を窓枠に並んだ釘《くぎ》に戻した。

秋津は出会ってから持っていたちいさな疑問を口にする。

「お母さまは、どうしたんですか」

「楽になってしまったそうです」

「楽、ですか」

「そうです。死んで楽になったとおばあちゃんが言ってました」

詫《わ》びようにも言葉がでてこなかった。

二月は一年で最も寒い時期だった。夜中も暖房を止めることができないので、乾燥がひどい。朝いちばんの秋津の仕事は、母の下の世話と加湿器のタンクを確認することだった。紙おむつは汚れていないが、タンクは空だ。

秋津は水を補給しながら、朝食の用意をする伶子の後ろ姿を見る。パジャマの上にダウンの室内着を羽織っていた。もともと話好きではないけれど、小樽から戻ってからの妻はいっそう口数が少なくなった。本人が気づいているのかどうかはわからない。実家でなにかあったのか問うのもまぬけな話だ。思い返せば、秋津自身も伶子に話しかけることが減っていた。

母が自力でベッドまで歩いて戻ったことを、まだ幻ではなかったかと疑っている。一瞬見せた微笑みも、秋津が自分を責めるための——自責を理由に心の平穏を保つための——ただの妄想ではないかと思えてくる。唐突で鮮やかな一場面だった。ひと晩よそに預けたときの心もちを気づかれているかもしれないという思いが、常に秋津を責めている。デイサービスの担当者にそれとなく母の様子に変化がないかどうか訊ねても「変わりないです」という答えが返ってきた。頭の中は母親のことと、筆を持つ際の純香に感じる畏れと憧《あこが》れと哀れみでいっぱいだった。

生活全般を妻の収入に頼っているという負い目も、純香が現れてからはわずかにかたちを変えた。自分の興味を惜しみなく注げる相手を見つけたという高揚感が、生活の一切を薄めていた。純香とふたりでいるときは、いっとき母のことさえも忘れられた。

朝食のトーストにピーナッツバターを塗ったあと、妻の手からコーヒーカップを受けとる。何気なさを装《よそお》った一日が始まる。秋津は天気予報欄にある最低気温マイナス十五度と書かれた部分を横目で見ながら、ほどよく自分たちから離れた話題を振った。

「康志君のところ、元気でやってるかな」

「じゃないかな、康志がどうかした？」

「いや、正月にほら」

毎年小樽の実家で正月を過ごしていたはずの義弟夫婦が今年は挨拶《あいさつ》にも行かなかったと聞いた。伶子があまり実家の話をしたがらないのをいいことに、小樽のことは秋津も見て見ぬふりをしてきた。ただそれも、大晦日《おおみそか》から毎日電話がかかってくることにまで触れないのはどうかしている。それとなく訊ねたときに、義弟夫婦のことを知った。

秋津の正面に腰掛けた伶子が、ヨーグルトをひとくち食べた。蓋《ふた》を開けたピーナッツバターの瓶を差しだすと、ありがとうと短く返す。秋津の日を見る。

「その後のことは聞いてないの。母の頼みで公恵さんにも会うことは会ったけど」

「奥さん、札幌の放送局にいるって言ってたよね」

「忙しいみたい。秋に放送になるドラマの制作をやってるんですって」

「そう。じゃあ、小樽のお義母《かあ》さんたちが心配するようなことはないんだね」

「心配してもどうにもならないし。みんな大人なんだから、あまり親身なふりをするのもいやらしいじゃない。だいじょうぶ。本気で離婚を考えてるひとは、別れてから連絡するものよ」

　妻が両親や弟夫婦とのあいだにどんな屈託を抱えているのかを問うたことはなかった。伶子の場合、積極的に話す必要を感じていないだけかもしれない。本当は訊ねてほしいという素振りを、伶子の寡黙《かもく》さから感じ取ったことは出会ってから一度もなかった。

　秋津も母が玄関から自分のベッドへ自力で――元気だったころの足取りそのままに――戻ったことは伝えていない。言葉にしてしまうと、この家で保たれている均衡がすべて崩れてしまう。ひとたびお互いの親のことを話し合えば、そこから先に待っているのは妥協と諦《あきら》めだった。話し合っても合わなくても、今と何も変わらないのではないか。

それでもときおり「うちの母親は詐病《さびょう》だ」と誰かれなく触れ回りたい衝動に駆られた。「お前の母親は嘘《うそ》をついている」と、誰かにはっきり告げてもらいたかった。担当医師も見抜けないほど半身が麻痺《まひ》したふりなどできるわけもないと打ち消して、日々昏《くら》い思いから逃げている。

秋津は妻のつよさと賢さに触れるたび、純香のことを思いだした。伶子が持つ聡明さも、おおかたのことをひとりで切り抜けられる生活力も、なにもない代わりに天から「力」を授かった不幸な娘だった。秋津の内側から覚えのない感情が沁みだしてくる。この思いに名前をつけるのは難しい。哀れみとひとくくりにすることさえためらわれた。

「今日は、修学旅行に向けての会議で少し遅くなります。ご飯は先に食べていてください」

「修学旅行、いつだったっけ」

「五月の連休明け。なにも問題が起きない年はないし、今年も覚悟して行かなくちゃ」

新型インフルエンザが大流行した年、疲れ切って帰宅した妻を見た。大阪のユニバーサル・スタジオ・ジャパンへ行きたいばかりに、高熱を申告しなかった生徒が多数いたと聞いた。倒れてから現地に呼ばれた親への対応と隔離に追われ、教師陣はもとより養護教諭の携帯電話も鳴りっぱなしだったという。

「インフルエンザのときは、ひどかったね」

「あのときを思いだすと、修学旅行って聞いただけでめまいがしそう」

伶子はそう言って笑い、空いた食器をシンクの洗い桶に入れた。水を注ぐ音。秋津は妻の横顔を見ながら、トーストの残りを口に入れた。

秋津の背後で、テレビの音量が上がった。ふたりが笑っているのが気に入らないらしい。秋津は母のベッドの脇《わき》に立ち、テレビのリモコンを取り上げた。一瞬、母の目が正気に戻る。この目だ。もう見逃さない。介護で疲労した体や気持ちが、母を観察する目をくもらせていた。秋津は母親のベッドまわりをまんべんなく視界に入れて言った。

「おかあさん、おむつは汚れてませんね」

目を瞑った母の手にリモコンを握らせて、台所に戻る。ビタミン剤を飲んでいる伶子の背に声をかける。

「あまり無理しないように頼むよ」

振り向いた妻に微笑みかけた。

自分の心にはもう、自尊心のかけらも残っていないのではないか。そう思いながらどこかで「追い詰められてゆくのは自分ではない」と信じていた。母のこと、純香のこと、秋津しか知り得ない事実が血液に乗って頭や胸、体の隅々に行き渡る。今は赤い血も、心臓に戻ってくるときは感情の腐敗を吸い取って黒々と濃い墨の色をしているのだろう。

ここから先は、母の首に手をかけそうになる自分との戦いに違いなかった。

8

視聴覚ホールのドアを開け、会場から出てゆく八人の参加者を見送った。「彼岸荒れ」という三月の大雪があることを知ってはいたが、まさか今日になるとは思わなかった。企画段階ですべての事象を想定しているつもりでも、手から漏れるものがある。百五十席分の入場整理券は、広報の甲斐《かい》なく予定の半分も捌《さば》けなかった。八人という数字は信輝の士気を萎《な》えさせ、現場スタッフからも笑顔を奪った。月に一度のイベントが軌道に乗りかけてきた矢先の敗北だった。

「地方における電子書籍」というテーマで招いた講師は壇上から客席を見て「充実した時間になりそうだ」と、そこだけ笑いを取った。彼は講師謝礼の受領印を捺《お》す際に、「デジタルデバイドをアナログで体感してしまいましたね」と笑って、用意したお茶も飲まずに帰って行った。地元プレスには充分告知したはずだった。悪天候だけが原因ではない。人員配置や詰め、会場と講師のバランスなど、根本的な問題があったとしか思えなかった。

執務室の窓から、斜めに降り続ける雪を眺めた。手が届きそうな雪雲が空を覆っている。後から後から降り続ける雪を見ていると更に気が滅入る。朝よりも粒が大きくなっていた。気温は思ったよりも上がらない。道央のように降っては溶けるという感じでもなさそうだ。吹き込んだ雪で自動ドアが開かなくなっては厄介だった。除雪に出ようと窓に背を向け、事務椅子の背に掛けたダウンジャケットに手を伸ばした。

会場の片づけを終えた塚本由紀が執務室へ戻ってきた。行事の際はいつもグレーのパンツスーツ姿だ。首から下げた職員証を揺らし、信輝に向かってイベントの敗北を吹き飛ばすような笑顔を向けた。

「お疲れさまでした」

「うん。雪、思ったよりひどいね。ちょっと除雪してくるよ」

ダウンジャケットに腕を通した。スタッフに気遣われるほどの失敗だと思い始めるといたたまれない。問題は、月に一度のイベントを確実に来館者数に反映させていこうという現場の士気が落ちることだろう。

「館長」

ファスナーに手をかけたまま顔を上げる。目に入ってきたのは塚本の、もの言いたげな瞳《ひとみ》だ。面と向かってイベントの失敗を慰めようというのなら、さっさと部屋をでてしまいたい。信輝は視線を下げて指先のファスナーをかみあわせ、素っ気なく訊ねた。

「なに、除雪手伝ってくれるの。今日の雪は重たいから、いいよ」

「純香さんのことで、ちょっと」

信輝は一度つよく目を閉じた。彼女が告げようとする言葉をいくつも想像する。予測することで逃げおおせた日々が、すべてツケとなっている気がしてくる。覚悟を決めて、顔を上げた。職員たちの言う、なにを考えているかわからないくらい人なつこい笑顔「館長スマイル」で応《こた》える。

「純香が、どうかしたの」

塚本の眉《まゆ》が寄る。数秒のあいだ、信輝は彼女の言葉を待った。じき、ほかの職員も戻ってくる。塚本の視線がゆるりと執務室の入口に注がれ、信輝に戻る。

「わたし、お休みの日にフリースクールのボランティアをしているんです」

職務外の個人的な活動にはあまり口を出さないが、彼女が休日も働いていることが意外だった。拘束時間も決して短いとはいえない奉仕的な日々の仕事と、あまり変わらぬ休日を過ごしている。そこまで禁欲的に過ごすどんな理由があるのか。信輝は素っ気なくならぬよう気をつけながら短く「そう」と返した。

「週に一度ですけれど、できたら純香さんもお連れしたいんです。秋津先生のところ以外にも、純香さんが楽しめる場所があるといいと思ったものですから」

即答できるような話ではない。信輝は彼女の真意を探す。それに、と塚本が続けた。

「館長、ほとんどお休みを取ってらっしゃらないでしょう。最近、特にお疲れの様子だし。なにかお役に立てることがあればと思って」

切実に光る瞳から逃げる。仕事以外に職員との接点を持つのはひかえてきた。純香がやってきてから、仕事と生活のバランスを保つのが難しくなっている。じきに慣れるという思いは変わらないが、まっすぐな瞳で指摘されると気が滅入った。

「ありがとう。いろいろ心配をかけてすみません。純香とも話してみます」

電話が鳴り、塚本が手を伸ばす。信輝はダウンジャケットのファスナーを引きあげた。

プラスチックの除雪スコップを持ってロビーからでると、ジャケットの内ポケットで携帯電話が震えた。画面を見てすぐに通話ボタンを押す。

「ノブちゃんですか、純香です」

目の前には雪しかなかった。足の下にも頭上にも、木々に重たく降り積もっているのも雪だ。

「どうした、なにかあったのか」

「なにもありません。雪がすごいので、ノブちゃんが埋まっていないかと心配になりました」

埋まってるよと言いかけて笑った。

「純香、おかしいこと言いましたか」

「いや、俺が純香に心配されてることに、びっくりしてる」

「純香はいつもノブちゃんのことを心配しています。煙草《たばこ》もいけないです。おばあちゃんはいつもノブちゃんのこと心配してました。今はおばあちゃんがいないので、純香がノブちゃんを心配しています」

「そうか、ありがとう」

それ以上の言葉がでてこない。人通りのない雪景色のなかで純香の声を聞いていると、祖母の心残りが雪になって降り注いでいるように思えてくる。ひとりきりで部屋に籠《こ》もる生活のなかで、純香なりに兄の孤独を感じ取っているのなら、ひとつ階段を上ったのだと思いたい。外に連れ出すだけがすべてではないのだろう。純香も信輝も、孤独の中にいることに変わりはない。

「今日はなるべく早く帰るよ。なにか食べたいものがあったら言いなさい」

「ノブちゃんの食べたいものでいいです」

信輝は冷蔵庫の中にあるものを思い浮かべた。なんの関連もないのに、秋津伶子の顔が浮かぶ。彼女もまた、毎日家族の食事を考えながら過ごしているのかもしれないと思う。寝たきりの姑《しゅうとめ》と、夫と。彼女の肩にかかる生活を想像する。

冷蔵庫にあるのは、鳥のささみと玉葱《たまねぎ》と卵。

「親子丼《どん》にしようか」

「親子丼、純香大好きです。ノブちゃんの帰りを待っています。ありがとう。それではまた」

唐突に切られた。信輝は肩に降り積もった雪を払いながら、声をたてて笑った。誰も聞いていない。スコップで重たい雪を押す。通路を作り、左右に分けて植え込みへ捨てる。

旅行者《トラヴェラー》だったはずだ。自分は旅行者《トラヴェラー》だった。信輝の胸奥で、捨て続けてきたはずのあれこれが湧《わ》き出す。

『ゆっくり動いてゆく』

胸の底に『シェルタリング・スカイ』の一行がこぼれ落ちた。

雪よりも冷たいものが信輝の胸を満たし始める。自分はこの地に降り立ったときからただの一歩も踏み出せていないのではないか。雪を持ち上げる手が止まる。から回りしている毎日を、重たい雪とともに植え込みへと放る。大きく息を吐き出した。白く視界がくもった。

純香に鍋《なべ》や丼の洗い物を任せ、パソコンに向かった。新たな企画書に手をつけるのは億劫《おっくう》だが、予算のことを考えなくては何も前に進まない。

雪は止《や》んでいた。夜半まで降り続くようならば、明け方までにもう一度除雪に出るつもりだった。天気予報は明日から晴マークが続いている。日中の気温がプラスになれば、急速に溶ける。机の上の煙草に手を伸ばした。

台所の水音が消え、部屋に静寂が戻る。どこからか、かさかさとした音が聞こえてきた。カーテンをめくってみるが、雪ではなさそうだ。耳をすまし、音のする場所を探す。台所から飛びだした純香が、自分の部屋へ駆け込んだ。普段は出入りをひかえている妹の部屋へと急ぐ。

信輝は体ひとつぶん届かず、ドアの外に閉め出された。

「純香、どうした」

ドアノブは内側から握られている。なにが起こったのかわからない。信輝はノブを摑《つか》んだまま強くノックを繰り返し、妹の名を呼んだ。

「開けないなら、ドアを壊すよ。純香、でてきなさい」

数秒でドアノブが軽くなった。信輝は暗い部屋に立っている純香を見た。胸元に寄せた腕の中に、なにか抱いている。暗がりでふたつの目が光っていた。部屋の暗さに目が慣れたところで、それが猫だと気づいた。信輝はノブにかけた手を離し、純香のほうへ差しだした。後ずさりする妹に、できるだけ優しく話しかける。

「純香、ここでは生きものを飼っちゃいけないんだ。教えてなかったね、悪かった」

一途《いちず》な瞳で信輝をにらんでいる。信輝は額に落ちてくる前髪をかき上げた。そろそろ鬱陶《うっとう》しくなってきた。純香がやってくるずっと前から、信輝にとって時間は経つものではなくつくるものになっていた。やりくりしなくては、床屋へ行く暇もない。

「とにかく、部屋からでておいで」

妹に持ってしまった哀れみが、荒《すさ》んだ気持ちを連れてくる。半分しか繋《つな》がっていない血に逃げと怒りを覚えても、状況は変化しない。信輝は根気よく部屋からでてくるよう訴え続けた。

部屋の内と外でお互いに無言のまま立ち尽くした。三十分後、純香は猫を抱いて台所にでてきた。信輝のほうを見ることもない。冷蔵庫から牛乳パックを取りだして洗った小皿に注ぐ。床に皿を置き猫をおろした。しゃがみ込んで白い子猫の背を撫《な》でている妹に、どんな言葉をかけていいのか迷った。小皿の花模様が現れたころ、純香が信輝を見上げて言った。

「やっと元気になったんです。ぬさまい公園の入口で段ボールに入っていました。まだ子猫です。ずっと抱っこして温めて、今日初めて歩いて、鳴いたんです」

信輝は妹の言い分をすべて聞くことに決めた。気持ちのどこかで、もしかしたらこの猫が信輝の荷を少しでも軽くしてくれるのではないかと期待をしていた。猫の名前を訊ねてしまってから、状況を受け入れていることに気づいた。

「パンダです」

「猫の名前がパンダなの」

「そうです。この世でもっとも美しい生きものです」

純香の言う美しさの基準は、信輝にはよくわからなかった。生まれてから自覚なく庇護《ひご》されるばかりだった純香の瞳に、庇護者の光が宿っているのを見て観念した。昼間の電話で「雪がすごいので、ノブちゃんが埋まっていないかと心配になりました」

と言った意味が、ようやく腑《ふ》に落ちた。信輝は自分が純香のなかで、段ボールに入れられて捨てられた猫と同列にいることを笑った。猫が自分の手の中で命を取り戻したことを喜びながら、兄のことを思いだしたのだろう。

本当の旅行者《トラヴェラー》は、純香なのかもしれない。ゆっくりと、しかし着実に移動している。無理なく彼女なりの速度で別の場所へと動いている。

パンダと名付けられた子猫は、この部屋の主が信輝だと知ってでもいるように、ちいさな前足をそろそろと運び近づいてきた。パンダは信輝の前までくると、ひとつちいさな声で鳴いた。

三月に入ったとはいえ、まだ気温は氷点下だ。雪のなかへ放りだすわけにもいかない。そんなことをすれば、信輝が自身の行動の残酷さに耐えられない。パソコンデスクの上にあるデジタル時計を見た。あと三十分で十時になる。

純香がパンダを部屋に戻し、風呂へ入る準備を始めた。信輝は、パジャマと下着を持って台所を横切る妹の背に向かって言った。

「明日、キャットフードとトイレの砂を買いに行こうか」

ゆっくりと振り向いた純香は、死んだ母にそっくりだった。普段はうつろな瞳が、一瞬正気の光を放つ。脳裏に母の死顔が浮かんだ。笑っていた。信輝が見た最初で最後の笑顔だ。

「ありがとう、ノブちゃん」

うなずいたあと目を閉じた。声も気配も、嫌になるほど母に似ていた。

母は筆と墨と紙しか欲していなかった。父親のわからぬ子をふたり産んだが、どちらの子も欲していなかった。墨と紙を追いかけ、墨のように濁った黒い河に身を投げた。頂点を極めた翌年に死んだ書道家「林原聖香《せいか》」のことなど、もう誰も覚えていないだろう。祖母はあの悪夢のような日々を封印するために、純香を表に出さぬことを誓ったのかもしれない。今ならわかる。生きているあいだも死んでからも、みな母に振り回されている。祖母の心臓を凍らせにきたのも冥界《めいかい》にいる母だったのではないか。

バスルームから聞こえてくる水音から離れ、パソコンデスクの前に腰を下ろす。読みかけの本が三冊積まれている。今夜はとても読む気になれなかった。充電器に差し込んだ携帯電話の、着信を報《しら》せる青い光が点滅していた。視線が無意識に机の端にある『シェルタリング・スカイ』のＤＶＤに移る。二月の初めに信輝の元に戻ってきた。ＤＶＤを信輝に返す際、伶子は「本はありがたくいただきます」と言った。映画のほうは二度観《み》てもやはり面白かったと言われて、悪い気はしなかった。

出張の際に同じ土地にいるとわかって、ひととき迷った。会議は早めに終わっていたが、純香を里奈に預けて会うことはためらわれた。

『わたしのいる札幌にも、雪が降っています　秋津伶子』

『こちら、やっとひと息つきました。雪、ひどいですね　林原』

偶然に胸が躍ったくせに、大通りの本屋で新刊本の積まれ具合を見ながら、もったいぶった返信をした。

彼女からの返信は小樽の実家からだった。実家にいるところをわざわざ呼びだすのもおかしな話だ。翌日に釧路へ戻るということと『シェルタリング・スカイ』を面白く読んでいるということ、簡潔なのか素っ気ないのかわからないメールを二度三度送り合って終わった。

閉じられた部屋のドアを、内側からひっかく音がする。パンダが純香を探しているようだ。メールを開く。ひとつめはマクドナルドからのクーポン。ふたつめは里奈からだった。

『ＲＩＮＡです。変わりありませんか。道東の大雪映像、テレビで見ました。こちらも今日は寒いです。先日、純香ちゃんの携帯にわたしのナンバー入れておきましたが、ぜんぜんかかってこないので心配です。ノブくんから連絡がないときはあんまり心配しないのにね。ではでは、おやすみ』

三度読み返した。正月に肌を重ねてから二か月が経っていた。パンダがドアを引っかいている。庇護されるだけの場所から踏みだした純香の足音に聞こえた。カリカリかさかさと部屋に響き、信輝の気持ちを滅入らせる。母が純香を産んだ日から、祖母の目にはこんな日が見えていたのだろう。出だしがＲＩＮＡになっているメールに、微《かす》かな違和感を覚えながら返信する。

『除雪も俺の仕事。腰はボロボロだ。純香が猫を拾ってきた。疲れも仕事も溜《た》まるいっぽう。ここ、生きもの厳禁なんだけどな。見つかったら引っ越しだ。おやすみ』

送信してから一分も経たぬうちに着信があった。

「猫って、本当なの」

「あぁ、やられた。何日か前からいたようなんだけど、気づかなかった」

「どんな猫なの」

「白い子猫だ。近所の公園で段ボールに入っていたらしい」

里奈がため息をついた。体に沈み込んだときの声を思いだす。同時に塚本の遠慮がちな瞳が通りすぎてゆく。体は砂袋なみに重いのだが、思考は高速でさまざまな方向へと飛び交っていた。

「なんだか、今日も疲れた」

「わたしたち、こんな会話ばっかりだね」

ほんの少し間をあけて里奈が言った。不満という口ぶりでもなく、諦めでもない。感情の在処《ありか》がわからないひとことには、黙り込むしかなかった。すべて言葉にしたのでは、危うい均衡が崩れてしまいそうだ。居心地の悪さを煙草に火をつけることでごまかした。

「釧路はまだ雪降ってるの」

「いや、夕方には止んだ」

「ノブくん、そっちに行ってから二年になるね」

会話が長くなると、意地の悪さが沁《し》みだしてしまう。彼女の言わんとするところを想像して、更に黙り込んだ。誠実さとかけ離れた思いが、もう逃げる準備をしている。

二年か、とつぶやいた。

「疲れてるのは、ノブくんだけじゃないかもよ」

「そりゃそうだ。働いてりゃ疲れるよ、みんな同じだ」

猫はどうするのかと訊ねられ「捨てるわけにはいかないだろう」と応える。風呂《ふろ》からでた純香が、部屋の前で信輝にお辞儀をする。

「おやすみなさい」

携帯電話を耳から離し、おやすみと返した。里奈の声が戻ってくる。

「ノブくんには、十時を過ぎれば自分の時間がある。多少煩《わずら》わしいだろうけど、目の前に生活を区切ってくれる存在がいるのはいいことだよ」

「もうなにもする気力が湧かないくらい疲れてるけどな」

「ノブくん」問われたあと妙な間があいた。このままではだらだらと愚痴ばかりになってしまいそうだ。

「わたしたちの会話って、電話だからこうやって何分も続いてるんだよね」

「どういう意味だ」

「言ったとおり。同じ場所にいたら、わたしたちこんな会話もしないよきっと。最近それがわかるようになった。なんにも話すことなんかないまま一緒にいるんだろうなって思う」

疲れがいっそう信輝の体を重たくする。里奈に言葉の意味を問うても、信輝の側に訊《き》いた責任が生じるだけでひとつもいいことはないように思えた。

「わたしも少し疲れてるのかな」

言葉もないところへ、猫の名前を訊ねられた。「パンダ」短く答える。

「あぁ、純香ちゃんらしいね。彼女と一緒にいる動物は居心地いいと思うな。あれこれと思い煩う人だと、ペットもそれにつきあって疲れちゃう。じゃあ、また電話するね。おやすみ」

携帯電話を充電器に戻してから、いつ終えてもいいような会話しかしていなかったことに気づいた。里奈が仕掛けてくる「もう少し真面目《まじめ》な話」に乗ることができなかった。誠実と不実のあいだを行ったりきたりしながら、曖昧《あいまい》に漂っている。季節外れの雪のように、積もればいいのか溶けたらいいのか着地寸前まで迷っている。結局、この曖昧さが楽にしてくれている時間に甘えていた。少しも動いてはいない。旅行者《トラヴェラー》ではなかった。行っては戻る、観光客《ツーリスト》だ。

カーテンの裾《すそ》から冷気が入り込んでくる。部屋の明かりを消してカーテンを引いてみる。煌々《こうこう》と光を放つ街灯が、人通りのない道を照らし続けていた。二本目の煙草に火を点《つ》ける。一日の疲れがゆっくりと溶けだす。同じような毎日が続いてゆく予感が、信輝の体を冷やす。メールにあった「RINA」の文字を思いだしていた。彼女には信輝以外にもメールのやりとりをしている相手がたくさんいる。長いつきあいのなかで、里奈の人間関係をすべて把握したいと思ったことは一度もなかった。

「里奈」ではなく「RINA」だったことの意味をあれこれと考える。じわじわとにじり寄り、試されているような不快さがある。しかしひとことでも指摘すれば、女からは万端に準備された言葉が返ってくる。

お互いが何気なく口にしているはずの言葉に、意図せず多くの意味がこもってしまうようになった。こうなると、長いつきあいがひどく厄介なことに思えてくる。うまい着地点をふたり同時に見つけなければ、延々と同じ場所を回り続けてしまう。一歩でもずれると、お互いが傷つく。思いやりなどという言葉はただの保身だろう。頭が重かった。ぐるりと首を回す。関節のひとつひとつから嫌な音がした。

「わかんないよ」つぶやきが窓ガラスをくもらせた。

昼休みを長めにもらって、いちばん近いホームセンターのペットショップへ足を運んだ。

純香はパンダを胸に抱いて、体格のいい女性フロア係の説明を熱心に聞いている。エプロンの幅の倍はありそうな体を小刻みに揺らし、係の女が言った。

「体調不良のときはこちらのフードを与えて、様子をみながらドライフードを混ぜていくのがいいかと思います」

「おばさん、体調不良のときはこちらのフードで、様子をみながらドライフードを混ぜていけばいいんですね」

おばさんと呼ばれたフロア係が、言葉をそっくりなぞられて戸惑っている。信輝は勧められた餌《えさ》の袋を急いでカートに入れた。猫用の砂とプラスチックのトイレ、爪研《つめと》ぎ板。ひとかかえもある飼育道具にため息をついた。

「この子、パンダといいます。かわいいでしょう」

信輝はフロア係が純香の問いに答える前にカートをレジに向かって押し始めた。

「ノブちゃん、待ってください」

「時間がないんだ、昼休みが終わってしまう」

苛立《いらだ》ちの理由はのんびりしたレジ係の仕草だけではなかった。荷物を車のトランクに入れ、ホームセンターの駐車場からでる。どうにも説明のつかない憤《いきどお》りがハンドルを持つ手を荒くする。雪道がアイスバーンに変わっていた。お情けのような太陽を受けて表面だけ溶けだしている。そろそろ買い換えなくてはならないスタッドレスタイヤを、今年だけと我慢した。猫を飼う余裕がどこにあるのかわからない。

純香をマンションへ送り、人目を避けながら部屋に荷物を運んだ。プラスチックのトイレに猫砂を入れる時間はなかった。くれぐれもひとりではやらないようにと言い含める。庇護するものを見つけた純香は、信輝の言いつけを守るだろうか。「旅行者《トラヴェラー》」と口に出してみる。

図書館に戻った。ロビーに入る。学生が少なかった。階段を上りかけたところで、今日が公立高校の入学試験日だったことを思いだす。信輝は足を止め、階段の途中で呆然《ぼうぜん》とした。月例イベントの不振や、街のできごとや行事に関する鈍感さの原因をあれこれと突き詰めてゆくと、すべてが純香へとなだれ込んでしまいそうだった。理由があれば、半歩進める。純香のせいにすれば、他人の同情もすんなりと受け入れることができる。

執務室へ入ると、給湯室で塚本がコーヒーを落としていた。

「館長もいかがですか、いただきものの豆なんですけれど」

「ありがとう、一杯もらおうかな」

塚本は地元FMのラジオ番組で週に十分間、本の紹介コーナーを任されている。コーヒー豆は番組進行のパーソナリティーが、わけてくれたものらしい。

「おいしいって評判の豆なんです」

塚本の人柄が、館内の硬くなりがちな人間関係をうまく緩和してくれていた。彼女をクッションにして、それぞれの職員と円滑な関係が築けることもある。

フリースクールの件には触れなかった。昨夜の猫騒動で薄れてしまった。他人の哀れみに慣れるまでにはもう少しかかりそうだ。信輝は窓辺に立ち、まだ溶け残る雪を見下ろした。いつかこの景色のどこかに秋津伶子を探した。塚本が信輝の机にカップを置いて給湯室に戻る。気配が遠のいてから振り向いた。

コーヒーを飲んだあと、胸ポケットの携帯電話を取りだす。入学試験が終わったあとの高校職員の慌《あわ》ただしさを想像する。秋津伶子が勤める西高校は今年、志願者が定員割れを起こしていた。少子化と学力低下は、この街が抱える大きな問題だ。誰でも必ずどこかの高校に入ることができる。だから勉強をしない子はとことんしない。ゆとり教育のツケは政策を額面どおりに受けとった地方都市ほど大きい。中央の大学へ進学できるだけの指導陣もカリキュラムも、時間の使い方を学べなかった子供たちには負担でしかないのだろう。

信輝は窓辺で秋津伶子にメールを打った。

『こんにちは。昨日の大雪には参りました。そちらはお変わりないですか。突然ですが、純香が猫を拾ってきました。とても捨ててこいとは言えなかった。甘いですね』

そのあとの言葉が続かない。視線は書きかけの画面と雪景色の往復を繰り返す。気持ちは削除に傾いているのに、指先が動き始めた。

『職員のひとりから、純香をフリースクールにと誘われました。秋津先生や伶子さんにも頼りっぱなしです。自分たちはこうやってずるずると、いつまでもひとの親切に甘えて生きて行くのでしょう。迷ってばかりの毎日ですが、どこかで腹をくらねばなりませんね。それがどこかはわからないけれど　林原』

　読み返さずに送った。そんなことは、したこともなかった。いったいなにを言いたいメールだったのか。思うそばから、秋津伶子からの返信を待っている。昼休みが終わった。

　仕事を終え、マンションに戻ったのは午後八時を過ぎたころだった。ご飯だけは炊《た》いてある。信輝は急いであり合わせの野菜を炒《いた》めた。先に作っておいた炒《い》り卵を混ぜると、栄養バランスが整ったような気分になる。信輝にとっては、仕事も食事の支度も今や「こなす」ことに重点が置かれている。しなければならないことばかりが増えて、したいことがおろそかになっている。望んで立っている場所で、義務ばかりが増えてゆく。

黙々と箸《はし》を動かす純香に、味はどうかと訊《たず》ねる。

「おいしいです。ノブちゃんはお料理もできるんです。純香の自慢です」

「なんだ、純香はお世辞を覚えたのか」

「お世辞ってなんでしょう」

信輝は今日初めて笑った。

「相手が気持ちよくなるような言葉だよ」

「お世辞を言うと、気持ちよくなりますか」

「嘘だと思っても、ちょっとは嬉《うれ》しいんじゃないか」

「ノブちゃんが嬉しいのなら、純香もっとお世辞言います」

「よろしく頼むよ」

「まかせてください」

純香には信輝が笑っている意味がわからないらしい。わからないままでいいのかもしれない。ここが自分の腹のくくりどころなのだろう。炒めた野菜が荒っぽい咀嚼《そしゃく》のあと静かに胃へ落ちてゆくように、信輝はもう一度「これでいいのかもしれない」と独りごちた。

洗い物をする純香の横で猫のトイレに砂を入れる。明日は猫の飼い方の本を買ってこよう。純香とふたりの生活が始まってから、なにかが少しずつだが移動していた。それは心か体か、はっきりと摑めはしないのだが確かに妹がやってくる前とは違う。それは日々無意識になにかを摑もうとしている純香の速度なのだろう。

純香が眠り静かになったリビングの隅で、パンダが用を足していた。パンダがトイレからでると、プラスチックの容器から数粒の砂が散った。携帯電話が震動した。充電器から外すのさえもどかしく画面を開いた。

『こんばんは。いただいたメール、何度も読み返しました。純香さんが拾った猫は、今後とても頼りになるかもしれないと、そんなことを思っています。純香さんは守られる側から守る側へ、ゆっくりと心が育っているのかもしれません。頼る先があって、頼られることを厭《いと》わない人間がいて、それでいいのではないかとも思います。ただ、林原さんの遠慮が生んでゆく「負担」はあるかもしれません。お電話にしようかメールにしようか、迷い迷って結局こんな時間になってしまいました。お互い、今後はすこし猫ちゃんに期待しましょう。おやすみなさい　伶子』

9

五月の第三週、道東の桜が開き始めた。空は桜の色に合わせて、ほとんどの日が薄い灰色だった。厚みもわからない霞《かすみ》の向こうで日が昇り、沈む。

離陸した機体が灰色の層を抜けるとき、伶子の視界に広がったのは地上で見たのと同じ色彩だった。少しずつ地形がぼやけてゆき、やがてなくなる。上にあったものが、機体の下になる。境界は雲ではなく霧だった。旅程は三泊四日、京都・奈良・大阪。西高校では夏休み明けから秋に文化行事が集中するため、一学期の中頃に修学旅行を入れる。

養護教諭は団体行動時以外は宿泊施設で待機だ。六クラス二百四十人の引率となれば、必ず体調を崩す生徒がでてくる。場所は校舎から遠く離れても、伶子の仕事は変わらなかった。一泊目と二泊目は京都だったが、初日の見学先を無事旅程表どおりの進行で終えた。

翌日は朝から班行動の自由見学だった。宿への居残りを決めた者のなかには、風邪や熱、貧血などの症状がはっきりしない生徒も数人いた。なんとなく腹が痛い、頭痛がする、と訴えるのだが、薬を勧めれば「横になって休んでいれば大丈夫」と言う。彼らには、せっかく来たのだから多少無理をしてでも外に出たいという意欲がない。毎年見る光景だ。自由行動の班で仲間はずれになっている生徒はすぐにわかる。いつ具合が悪いと言いだそうかと飛行機やバスの中、移動のあいだも食事をしていても、ずっと周囲の様子を窺《うかが》っている。そうした生徒たちは、保健室の常連でもあった。サインがあるので、伶子も対処しやすい。周囲に溶け込めない子にはそれぞれ理由があるけれど、卒業後までひきずることは稀《まれ》だ。いじめや疎外感《そがいかん》、高校時代の重い足かせが外れた子たちの変貌《へんぼう》ぶりには毎年驚かされる。彼らは半年ほど経《た》ってからひょっこり保健室に現れて言うのだ。

「高校時代《あのころ》に比べたら、天国です」

最初の男や女につまずいて、伶子に助けを求めにやってくるのも、同じころだった。養護教諭は彼らの愚痴を黙って聞く。化粧をして流行の洋服を着た彼や彼女たちは、サナギが羽化したように見える。けれど、保健室へ戻ってくる。羽化した自分を見せるために。

観光客《ツーリスト》だ――旅に出ては元の場所に戻ってくる。外面的な変化は、旅先からの土産なのだろう。

ホテルのロビーから五人ずつひとかたまりになった生徒たちが次々と外に出て行く。みな必ず空を見上げて顔をしかめた。朝から二十度を超えていた。道東の、まだフリースが必要な気候とはまったく違う。日中どれだけ暑くなるのかわからない。

「伶子センセイ、いってきます」保健室の常連ばかりが集まった班は案外元気よく外に飛びだしてゆく。伶子は片手を振り、生徒たちに応えた。

担任教師たちの手には、それぞれの班行動行程表が握られていた。不測の事態に備えて、教師陣も宿で待機だ。ロビーは、自動ドアがほとんど開けっ放しになっているうちに外気が入り込み温度が上がっていった。

伶子は夕方に疲れ果てて戻ってくるだろう生徒たちに、精いっぱい手を振る。あと数組でみんな外出、というころ名前を呼ばれ振り返った。三組の担任が立っていた。

「すみません、うちのクラスの君島《きみじま》が調子悪いっていうんですわ」

「どんな感じですか」

「真っ青な顔をしてます。宿に残るというのは本人からの申し出なんですが。報告にきた生徒が言うには、一晩中吐いてたっていうんですよ。腹の具合がおかしいっていうのは今のところ君島だけなんで、飯のせいじゃないと思うんですけど。暑さにあたったかな。具合が悪いなら昨夜のうちに言えばいいのに、まったく」

彼はロビーに流れ込んでくる外気ですでに汗をかいており、ポケットから出したハンドタオルで額を拭《ぬぐ》っている。

伶子は手元のファイルで部屋番号を確認して、君島沙奈《さな》の部屋へと向かった。フロアごと貸し切りなので、教師の待機部屋のドアは開け放たれている。生徒が残っている部屋のドアもストッパーで留めてあった。

332号室をノックする。中から掠《かす》れ声が返ってきた。「秋津です」と言って部屋に入った。室内には少女たちが使う制汗パウダーのにおいが残っていた。君島沙奈は制服姿のままベッドに横になっていた。

「お腹《なか》の調子が悪いって聞いたけど、どんな感じなの。食べたものぜんぶ吐いちゃう？」

君島沙奈のすらりと伸びたかたちのいい脚がベッドの半分を占めている。制服の丈を詰めたり化粧をしたりといった、少女たちの小粒な逸脱とは無縁の生徒だった。生徒会の書記長を務める彼女の成績は常にトップだ。この学年で西高校から国公立大学へ進学できる生徒は彼女しかいないと言われている。

もっと偏差値の高い高校へ進学してもおかしくない成績だったが、なぜか西高校へ入学した変わり種だ。保健室にやってくることもないので、二年生になるまで挨拶《あいさつ》以外で接したこともなかった。

「君島さん、まだ吐き気はおさまらない？」

伶子の問いかけに、君島沙奈は薄く目を開いて「昨夜より少しいい」と言った。熱は高くないようだが、顔色が悪い。ひと晩吐いたとなると、心配なのは脱水症状だった。伶子は常備バッグの中からカロリー補給ゼリーを取りだした。これならば水分と栄養分が同時に補給できる。

「少しずつでいいから、無理しないで口に入れて」

伶子から受けとったアルミパックを口元に運び、白く長い指で握った。ひとくちふたくち、喉《のど》が動く。嘔吐《おうと》用のビニール袋を取りだす。彼女は浅い呼吸を繰り返していた。

「病院に、行きましょうね」

彼女の瞳が伶子に向けられる。立てるかどうか訊ねてみる。

「だいじょうぶです」

沙奈がベッドから脚を降ろした。伶子は携帯電話で担任教師に連絡を取った。保険証の写しを受けとる際、担任からどんな感じかと訊ねられ、病院へ行っておそらく点滴を受けることになると告げた。今日中に吐き気がおさまればいいが、そうでなければひとあし早く自宅へ戻すことも考えなければならない。行程はまだ二日間残っている。判断は早いほうがいい。

旅行会社の手配で、すぐに診察してくれるという病院へタクシーを走らせた。古都の道は狭く、車体がいつ塀にこすれるか不安になる。まっすぐ伸びた幅の広い道路で、行く手には常に空ばかりという景色を見て育つと、京都という街全体が大きなテーマパークのように思えてくる。毎年見ていても抱く印象は変わらなかった。

君島沙奈はぐったりとした様子のまま後部座席で横になっている。片手に嘔吐用の袋を持たせてあった。添乗員が呼んでくれたタクシーは、発進もブレーキもなめらかだった。

毎年なにかしらアクシデントはあるが、新型インフルエンザの年を思えばのどかなものだった。

嘔吐を抑える薬と点滴で回復できれば、という思いを覆《くつがえ》したのは尿検査と診察の結果だった。

「先生からお話があります」

看護師が、沙奈は処置室に寝かせて点滴の用意をしていると告げたあと、伶子を診察室に呼び入れた。年配の女性医師が柔らかな表情で待っていた。伶子は勧められるまま、医師の前にある丸椅子《いす》に腰掛けた。

「妊娠ですよ、先生」

すぐには言葉がでてこなかった。

君島沙奈は、嘔吐で妊娠を疑う層の生徒とはかけ離れている。いや、違う。どんなタイプの生徒でも、それはあり得ることだった。なぜ今回に限って疑わなかったのか、伶子は年明けから続いている心の重怠《おもだる》さを振り返った。養護教諭としてのアンテナが折れているとしか思えなかった。

「妊娠ですか」

「ええ。本人はわかっているようでした。養護の先生にだけはお伝えしますよと言ってあります。了解は取りました。ひとまず母体に影響のない点滴を入れます」

すでに君島沙奈は「母体」と呼ばれていた。

「あとのことは、本人と先生にお任せしてよろしいですか」

「お気遣いありがとうございます」

伶子は丁寧に礼を言って、待合室に戻った。すぐに処置室へ行くことはためらわれた。エアコンがきいているはずだが、体の隅々から汗がふき出てくる。

本人はわかっているようだ、という言葉を喉の奥で繰り返してみる。携帯電話を取りだしてから、どこにかけるつもりだったのかを考えた。メールが入っている。林原から一件、この春に異動して、似たような行程で関西に来ている養護教諭仲間から一件。

『おはようございます。今日の釧路は涼しいのを通りこして寒いくらいです。気温はひとけた。京都でひとあし早い夏をお過ごしかと思います。お気をつけて　林原』

『こちら、本日は大阪から神戸です。暑い。物理の川久保《かわくぼ》先生から伶子の様子を訊かれました。あちこちから噂《うわさ》だけは耳に入れてるみたい。面倒な男だね。アドレスを知りたがってる。言わないでおく。感謝してね　千尋《ちひろ》』

どちらのメールも今の状況から遠い話題であったことに感謝した。点滴にかかる時間は一時間半程度。看護師が「ゆっくり落として、少し眠らせましょう」と言った。

携帯電話をバッグに放りかけ、思い直す。担任に連絡をいれた。

「今、点滴しています。先に家に帰すかどうか、点滴が終わってからのご相談になると思います」

「あと二日ありますからねぇ。弱ったな。明日で戻るならいいんだけど。秋津先生の見立てはどうなんですか」

君島沙奈が、このままバスのエアコンと外気温の差に耐えられるような気はしない。担任に沙奈のことをそのまま話すつもりもなかった。この話題をたとえ担任であろうと、本人以外にふたりの人間が共有することはためらわれた。

生徒の妊娠が発覚した際いつも感じるのは、教師たちが何人額を集めて話し合ったところで、結論をだせるのは本人しかいないということだった。今は問題を大きくしないのが伶子にできる唯一《ゆいいつ》の支援だ。

万が一と前置きして、先に自宅へ帰す場合、家族に迎えにきてもらえそうかどうか訊ねた。担任はひとつ唸《うな》ったあと「難しいんだよなぁ」とつぶやいた。

「難しいって、どういうことでしょうか」

「君島の親です。ちょっと面倒なんですよ。本人が大学進学を希望してるんで、二年の担任を持ったときにいちど会ってるんです」

「面倒、ですか」

「俺が頭を下げて頼んでも、娘に学費は出せないの一点張りなんです。一歳違いの兄貴と弟がいるんですけどね、どっちも清明高校の三年と一年です」

清明高校といえば、市内で唯一理数科を持つ進学校だった。担任からの情報では、家庭環境は一見ごく普通に見えるが、娘については投げやりな印象だという。沙奈だけが西高校へ進学したのも、交通費その他の通学費用が少しでもかからないところ、という条件があるためだった。

「大学へ行きたいのなら働きながら自力で行ってほしいって言うんですわ。兄と弟に金がかかってあいつにまで手が回らないそうです。俺はなんとしても国立に行かせようと思ってますよ」

担任の鼻息も会話の風向きも、おかしな方向に流れた。伶子はもう一度訊ねた。

「親に連絡をして、関西空港まで迎えにきてもらうという感じではないんですね」

「その場合、連絡はしますけれど、正直なところ何をさておいても迎えにくるという感じはしません」

言い切ったところに、担任なりの怒りがにじんでいる。親がくれば、どうしたところで状況を説明しないわけにはいかないだろう。伶子は点滴が終わるまでには判断しますと言って電話を切った。

　気付かぬうちに、ため息をついていた。明日になれば慣れない暑さと疲れでダウンする生徒もでてくる。副担任に送ってもらうことも考えてみた。生意気な新卒の女教師だ。なににつけ挑戦的で、伶子とはそりがあわない。沙奈の様子に疑問を持たれると厄介だった。男性教師ならば気づかずに送り届けてくれるかもしれないが、女の目はそうそう長くはごまかせない。

　処置室へ入って、カーテンの隙間《すきま》から中を覗《のぞ》く。眠っている彼女の伸ばした腕に、点滴の針が刺さっている。生徒に贔屓《ひいき》をした記憶も、養護教諭という立場を利用してなにかをしようと思ったこともなかった。しかし彼女の妊娠だけはなんとしても、小指の先ほども噂になってはいけないような気がしている。どうするのか、どうしたらいいのか。

　ホテルに戻ったあと、担任には「過労と消化不良」と報告した。著しい体力の消耗がある、と告げると担任は額を押さえて目を閉じた。

　その日の夕方、生徒たちが戻り始めたころ沙奈は伶子の部屋へと移ってきた。早急な療養が必要ということで、明日の朝の便で釧路へ戻ることが決定していた。

　担任が言うには、両親に連絡を取ったものの、空港まで迎えを出すので飛行機に乗せてくれとにべない返答だったという。

「そういうわけにもいかんでしょう。おまけに秋津先生、君島があなたじゃないと嫌だと言うんですよ。ほかの先生じゃ不安で帰れないって」

夕食後の会議で担任が困り果てた顔で言った。伶子は手元にある暑気あたりを起こした生徒の数と健康報告状況をみる。残り二日。明日の奈良と大阪の宿泊さえ乗りきれば、最終日は自由時間が三時間の移動日だ。学年主任がうなずいた。

「秋津先生、こちらは我々がなんとかします。すみませんが君島をお願いできますか」

「わかりました」

同級生が伶子の部屋に荷物を運び入れたあと、顔色のすぐれない沙奈がやってきた。気の毒そうに部屋をあとにする生徒たちに、ベッドから手を振っている。長い髪と意志が強そうな眉《まゆ》、長い手足。恵まれた容姿と伶子を指名する賢さに、彼女が妊娠という事実をどう越えてゆくのか、この日で確かめたくなる。

伶子はふと、姑《しゅうとめ》の介護を理由に妊娠を諦《あきら》めた日のことを思いだした。秋津には結果的に恩を売るかたちになったかもしれない。出産を強要するのなら別れると言った公恵は、どうしているだろう。そして君島沙奈は、この現実をいったいどうするのだろう。

短パンとTシャツ姿の彼女は制服姿より幼く見えた。

「わたしが連れて帰ることになった。向こうに戻るまでのあいだに、親御さんにどう報告するか考えないと」

「倫子先生、それ脅しなの」

語尾を上げた彼女と目が合う。倫子は首を横に振った。

「あなたを脅したって、わたしにはなんの得もない。善後策を話そうって言ってるの」

「ちゃんと自分で始末する。話し合う必要ないと思う。大騒ぎしないでくれてありがとう」

「お金のかかることよ。そこはどうするの。答えが出てるなら相手についてはなにも言わない」

沙奈は「お金はあるから」と言ったあとしばらくのあいだ黙り込んだ。ベッドに仰向けになり、両手で顔を覆《おお》っている。泣いているのかと思ったが、そうではなかった。

沙奈は体を反転させうつぶせになると、ベッドの下に放ってあるリュックの、横ポケットからスマートフォンを取りだした。ほかの生徒たちに比べてかなり地味なリュックだ。手にした画面を指先で流しながら言った。

「相手はわからない。不特定多数ってやつ。仕事だから、覚えようがないし。ちゃんと相手を選ばなくちゃ駄目だね」

大きなため息をつきながら画面を見ている。この場で「援助交際」という言葉も古くさく思え、使うのもためらわれた。隣のベッドに腰をおろすと、再び目が合った。

「先生の想像どおり。三日分の稼ぎがパアだけど、仕方ない。わたしのミスだもん。気分としては、模試で解答欄がずれてたことに、終了三分前に気づいた感じ」

黙り込む伶子に向かって沙奈は「いろいろ訊いてくれたほうが楽だ」と目を逸《そ》らし、ふてた表情を見せる。点滴が効いているようだ。不思議と彼女に対して、どんな悪い感情も持っていなかった。面倒な現実を突きつけたところで、この子は伶子を笑うだろう。ずっと自分の価値観で生きてゆくひとに、かける言葉はなかった。それでも訊いておかねばならないことがある。

「家族には、どう説明するの。わたしにできることはなに」

沙奈は胸と腹を波打たせて短く笑い、あるかなぁとつぶやいた。

「とりあえず、明日はよろしくお願いします」

翌朝、旅行会社が手配してくれた航空券で、伶子は沙奈とともに関西空港から羽田経由で釧路へ向かった。具合の悪さは続いているようだが昨日ほどではないらしく、伶子が差し出したおにぎりを半分とお茶、ビタミン補給ゼリーを口にした。幸い飛行機はほとんど揺れなかった。途中で嘔吐することもなく、昼過ぎには無事「たんちょう釧路空港」に到着した。

空港に降り立っただけで、関西との気温差がはっきりとわかる。伶子は到着ロビーを見回した。身内の者が迎えにくると聞いている。空港出口まであと数メートルというところで、ひとりの男が声をかけてきた。

「失礼ですが君島さんですか」

伶子はうなずいた。空港から自宅まで、父親が手配したタクシーの運転手だった。

「伶子先生、せっかくだから一緒に帰ろう」

市内までは車で三十分ほどかかる。湿原を拓《ひら》いた道路を使えば、高校に近い沙奈の自宅までならもう少し早く着くかもしれない。ひとまず送り届けるのが先決だろう。

伶子も一緒にタクシーに乗り込んだ。

「ご両親はお忙しいの」

「たぶん」

「家に戻っても、いつもひとりなの」

「兄と弟は学校が遠いし、ふたりとも夜は進学塾に行ってるから、あんまり会うこともない。父親は残業で母親は昼も夜も仕事してる。湿原横の住宅街の端っこにある建て売り住宅を買ったんだけど、三十五年ローンが終わるまで働きづめだって。そんな生活続けられるわけないことくらい小学生でもわかりそうなものなのに」

沙奈はにやりと笑い「だけど模試の成績はわたしがいちばんなんだ」と言った。「西高に通ってるのは家から交通費がかからないから。わたしが稼いでるのは、大学へ行くための学費と生活費」

なぜ――、伶子の問いが後部座席で空回る。「しらない」と間延びした声が返ってくる。

「いっそ気分いいんだよ、はっきりと差をつけてもらってるほうが。悩む理由がないもん。兄はあのまんまじゃどうあがいても志望校には届かないだろうし。わたしはそこそこの大学に受かって、あとは家を捨てればいいだけなんだから。あと二年の辛抱」

「弟さんは」

「割と優しい子だからね。最後に貧乏くじ引いて、親の愚痴のゴミ箱になる。それは仕方ない」

そう言ったきり沙奈は黙り込んだ。

伶子はひとまず、家の前でタクシーを降りた。君島家は彼女が言ったとおり、新興住宅街の端にあった。同じような家が何列も並ぶ、建て売り住宅地の一角だ。ここから先はもう湿原を拓けそうにない。家の裏のすぐそばまでヤチダモの木が茂っており、防風林の役目を果たしている。西高校まで、歩いて二十分。遠回りをするバスに乗るために逆方向へ十分歩くことを思えば、徒歩通学のほうがましだと言う。冬場の通学の厳しさを考える。湿原から吹く風はどれほど冷たいだろう。

「どなたかご家族を、待たせてもらっていいかな」

沙奈はリュックから玄関の鍵《かぎ》を取り出し、不思議そうな顔をした。

「だいじょうぶよ、おとなしく家にいるから」

「ちゃんと親御さんに会わなくちゃ、わたしがついてきた意味がないでしょう」

大人の社会はかたちが大事なのだと言うと、彼女は「了解」と言って唇の両端を下げた。伶子は、廊下の突きあたりにある彼女の部屋で、家族が戻るのを待つことにした。

プラスチック製の衣装ケースと、ベッドと机。六畳にすこし足りないくらいの広さだろうか。やけに整然としている。板張りの床には教科書を入れるリュックと体操着用のスクールバッグが置かれているだけでクッションのひとつもない。かわいい小物や鏡まわりといった女子高生の華やかさもなかった。机の幅いっぱいに、参考書と受験対策の分厚い問題集が並んでいた。おそらく西高校の生徒でこの問題集と互角に渡り合えるのは君島沙奈ひとりだろう。

「ここでひとりで受験勉強してるの」

「そう。お金は長期の休みに集中して稼ぐの。学期中は家と学校の往復だけ。あと、生徒会と」

沙奈はベッドに横になった。伶子は学習机の前にある椅子に腰をおろす。背もたれからネジのきしむ音がする。到着時刻は告げているのに、誰も家に戻っていない。ここを訪れた担任教師の苛立ちを想像してみる。沙奈に、無事に家に戻ったことを親に知らせないのかと訊ねた。

「あのひとは五時に一度家に戻るから。夜の仕事に行く前に、家で着替えるの」

母親は住宅街の入口にあるカラオケスナックの雇われママをしているのだという。少し眠るという彼女に背を向けて、伶子は携帯電話を取りだした。「川久保」の名前に少し迷いながら、千尋に返信する。

『ひとあし早く釧路に戻りました。急病人。こちらは涼しいです。気遣いありがとう。面倒な思いさせてごめんね。次の定例会のあと、お茶でもおごらせて　伶子』

林原からは昨日の朝以降、メールはきていない。秋津には今日戻ることを連絡しそびれたままだった。ぽっかりと浮いた一日に、林原に返信をしていない負い目が滑り込む。

沙奈の寝息に誘われるように、伶子もうとうとしかけたときだった。玄関で物音がした。苛立ちがそのまま足音になって近づいてくる。

「沙奈、ちょっと沙奈」

ノックもなしでいきなり部屋のドアが開く。伶子を見て、女の声色が変わった。

「あら、ごめんなさい。お客様？」

「西高校の養護教諭をしております、秋津です。どなたかお戻りになるまで待たせていただこうと思いまして」

「それはどうもすみませんでした。いただいた電話では保健の先生が家までいらっしゃるなんていう話はなかったもんですから。面倒をおかけしちゃって、申しわけありません」

頭を下げても恐縮しても、母親は一度もベッドのほうを見なかった。見ないようにしているという印象でもない。見えていない、あるいは見ないことが習慣になっている。伶子は意識的に沙奈に視線を移した。

「生徒会の活動と修学旅行の準備で、いろいろ大変だったと思います。旅行後の休養日のあいだは家で充分休ませてあげてください」

「この子にはずいぶん暇をあげてるんだけども。昔から病気なんかしたことのない人なんですけどねぇ」

そう言ったときだけ視線がベッドに向いた。沙奈はふたりの話に興味などなさそうな顔で天井を見つめていた。

「先生、すみません。わたしこれからまた仕事があるんですよ。着替えてすぐに出かけなきゃいけないんです。なんのお構いもできませんで、本当にすみませんねえ。今回のことは申しわけありませんでした。担任の先生にもよろしくお伝えください」

こちらが下げた頭を戻すころには、ドアが半分閉まりかかっていた。母親の去った部屋で沙奈が低い声で笑った。

「ね、いけてるでしょう」

「病院はいつ行くつもりなの」

「修学旅行の休み中にはなんとかする。こんな吐き気、耐えられたもんじゃない」

「ひとりで行けるの」

「だいじょうぶ。人に関わると面倒だから。先生にも迷惑かけないから」

「病院のあてはあるの」

沙奈は、そこだけ「あぁ」と声を伸ばした。

「どこでもいいってわけじゃないんだよね。どこかおすすめのところ、ある？　妊婦ばっかりの病院もなんだか嫌だな」

「書類なんかの手続きもいろいろあるの。そこがしっかりしているところじゃないと、危ないわ」

先生、と沙奈が語尾を上げた。

「こういうこと、慣れてるんだ」

「慣れてはいない。困ったな、という感じの記憶があるだけ」

「へぇ、先生もいろいろあったんだ」

「明日、朝から絶食しておいて。ちょうど手術日の個人病院があるから。運が良ければ明日のうちに何とかなるでしょう」

沙奈が体を起こしてベッドの端に座った。顔色が悪い。瞳《ひとみ》だけ妙に光っている。

「絶食は朝だけでいいのかな」

「今日のうちに先生にお願いしてみる。昼に迎えにくる。楽な服装で待ってて」

沙奈の唇が持ち上がった。我ながらお節介なことだと思いながら、彼女の携帯番号とメールアドレスを登録した。

生徒側に、はなから説教を拒絶するくらいの幼さがあればかえって養護教諭らしくふるまうことができる。君島沙奈は違った。一緒にいるとまだ十六、七の少女ということを忘れそうになる。伶子はこの少女を嫌いではない。彼女が十年後にまっすぐ歩いてゆくために必要なこと——ひとから後ろ指を差されたとしても——ならば、妊娠というアクシデントも些細《ささい》なことに思えてくる。

母親が玄関を出て行く音がした。沙奈はドアのほうを見ようともしなかった。

「じゃあ、わたしも帰るね。ここ、タクシー頼むとき、なんて言えばいいのかな」

「からまつ団地。いちばん奥の家」

携帯電話に登録してあるタクシー会社のナンバーを押した。沙奈が言ったとおり告げる。十分ほどで来るという。伶子はバッグを肩にかけた。窓の外はもう薄暗かった。

西日本は初夏だが、夕暮れの湿原はまだ春を漂わせていた。涼しいというよりは肌寒い。外気のなかに立つと、沙奈との会話がことさらさびしく感じられた。生徒をひとり背負い込んだ肩の重みが、帰宅しなければという気持ちを引き留める。このまま家に戻ると、秋津に見せなくてもいい顔を見せてしまいそうだった。

乗り込んだタクシーの後部座席で行き先を問われ、伶子は一瞬の迷いを振りきり

「市立図書館まで」と告げた。

図書館ロビーの、入口から死角になったところに腰を落ち着けた。ロビーに人がいなくなるのを見計らい、担任に電話をかけた。

「どうでしたか、君島の様子は」

「母親に会ったので、少しやすませてあげてほしいと言っておきました」

「娘のことなんか、構っちゃいられないって感じじゃなかったですか」

「話したのはほんの少しでしたし、はっきりとは」

担任は語気荒く、今の自分の目標は沙奈を国立大学に入れることだと言った。

「親なんぞあてにしなくても、俺がなんとかしますよ」

電話を切ったあと、深くため息をついた。沙奈は心の内では担任教師のことも鬱陶《うっとう》しく思っているのではないだろうか。大人がとやかく言っても、最終的な目的が決まっている少女には、長期休暇中の売春行為をいさめる言葉も片腹痛いに違いない。伶子がいくら無力感を覚えたところで、結論を出せるのは彼女しかいない。

生徒の妊娠など、噂を含めれば年に何度も聞く話だけれど、今回はいつもより気持ちが沈んだ。ひとりで歩いてゆくという決意の前では、分別など何の役にも立たない。病院の予約を取った。養護教諭が生徒の堕胎を頼むには、それなりの事情がある。

「診察をしてから決めましょう」とは言うものの、事情は察してくれている。こちらがあれこれと説明せずに済むわりに、腕の確かな開業医だった。

妊娠するにしてもしないにしても、女の身体《からだ》は面倒だ。この面倒くささと今後どうやってつき合ってゆくのか。十六歳の少女でありながら、もう人生のすべてを見てしまったような彼女の今がさびしかった。握りしめた携帯電話が、伶子の思いに応《こた》えるかのように震えた。

『こんばんは。こちら、夜になってますます冷えてきました。テレビで関西が今年いちばんの気温というのを見ました。同じ国とは思えないですね。体調を崩されていないことを祈っております。お体に気をつけて　林原』

雪を見上げながらメールを送った日のことを思いだす。林原と交わすメールは、ふたりが近づいたり遠ざかったりを繰り返している証《あかし》のようだ。揺れ合い、惹《ひ》かれ合っているように見えながら、実はお互いにここから先は面倒だとわかっていて、意識的に避け合っているのではないか。

『こんばんは。具合の悪くなった生徒の付き添いでひとあし早く戻ってきました。なんとなく、図書館のロビーに来てしまいました。返信が遅れてすみません　伶子』

林原が二分待たずにロビーに現れた。四階から階段を駆け下りてきたのか、息が荒い。メールを返せば彼が仕事を放ってここにやってくることを、自分は知っていた。やりきれないさびしさに、無理やり彼を引き込んだ。

「こんばんは」

林原は台本を棒読みしているような、抑揚のない声で言った。呆然《ぼうぜん》とした表情のまだ。伶子は軽く頭を下げた。

「すみません、お仕事の邪魔をしてしまいました」

彼の視線がトラベルキャリーに移る。握っていた携帯電話をバッグに放った。林原は「いや」と首を振ってまた黙り込んだ。

「ここにくれば落ち着くかなと思って」

閉館を知らせるアナウンスが入った。何気なく腕の時計を見る。十九や二十歳じゃあるまいし、と思う。耳の奥で自分の笑い声が聞こえる。すべて予定どおりじゃないかと言っている。伶子は視線を床に落とした。林原のつま先が一メートルまで近づいた。

「四階《うえ》へ、どうぞ」トラベルキャリーに伸びた手を慌《あわ》てて制したが、間に合わなかった。軽々と荷物を持ち上げる彼は、いつも見る図書館長に戻っていた。

林原は無言で執務室に入って行った。今夜も必要な机を照らす明かりしか点《つ》いていなかった。帰宅の用意を始めたスタッフが、応接室へと通される伶子に頭を下げる。修学旅行用の軽装と、林原に運ばせている荷物は彼女たちの目にどう映ったろう。

「すみません。僕に二十分ほど時間をください」

帰るという言葉がでてこなかった。伶子はうなずいて、窓辺に立った。背後でドアが閉まる音がする。応接室の窓から、霧の漂い始めた街が見えた。オレンジ色の街灯が、霧に包まれ膨張している。水滴でふくれあがり、雪洞《ぼんぼり》かモザイク画のようだ。遠近感などないに等しい。すぐに海も川も、道路もビルも見えなくなった。

言葉どおり二十分後、林原が応接室に戻ってきた。コーヒーの入ったマグカップをふたつ、テーブルに置く。

「お待たせしました」

「こんなふうに、突然お邪魔などするつもりじゃなかったんです」

「連絡のほとんどがメールですし、僕もたまにお目にかかってお礼を申し上げたいと思っていたんです」

「純香さんは、お家《うち》におひとりでいらっしゃるんですか」

「猫の面倒をみるようになってから、ひとりで晩飯を作って食べるようになりました。おかげでずいぶんと楽になりました」

「パンダちゃん、でしたか」

「この世でいちばん美しい生きものなんだそうです。シマウマはだめなのかと訊《き》いたんですが、答えがふるってました」

「純香さんは、なんて」

「余白がないんだそうです」

林原の笑顔につられて、伶子も笑った。笑いながら、秋津を思った。秋津の顔が薄れ、君島沙奈の青い顔が脳裏を過《よ》ぎる。窓の外を、夜の霧がゆっくりと移動してゆく。明日、流れてゆく子のことを思った。

涙があふれ出た。止まらなかった。林原が応接椅子から立ち上がる。泣く場所を探してここにたどり着いたのか、自分は。理由は眼下で煙る街灯のようにぼやけている。

海霧が川上へと漂い流れていた。

10

窓を開けると湿度の高い海風がなだれ込んでくる。秋津は寝室の窓を開け、黒く波打つ七月の海を見た。暖房を入れなくても良くなったのはいいが、湿気がひどい。南向きの部屋でも湿度が八十パーセントを超えていた。

この季節は霧が潮風を含み、子供のころから気管が荒れた。秋津は軽いほうだったが、太平洋沿いで霧の濃い街には小児ぜんそくを患《わずら》う子供が多かった。咳《せ》き込むといつも、母が背中をさすってくれた。母は父の陰で静かに書道教室を開いていたが、こと息子のことになると強情なひとだった。ぜんそくが心配ならば水泳でも習わせるといいと言った父と、喧嘩《けんか》になったことがある。そんなことをさせて、腕の筋肉がおかしな具合に発達したらどうするのか、というのが母の言い分だった。母の心には筆を持つ我が子しかいないのだと思った。自分は特別なのだという思いが芽生えたころでもあった。父と母の喧嘩を見たのはそれが最初で最後だ。

教室では人あたりの良い温厚な師範だったが、母親として人前に出ると急に気後れするところがあった。学級役員を引き受けざるを得なくなったときなどは、電話がかかってくるたびにうんざりした顔をしていた。

秋津は母のそのときの表情を思いだし、今とよく似ていると思った。母は自分の自由にならない空間に置かれると、急に萎《しお》れる花だった。人付き合いが極端に苦手でも、書道教室内では「先生」だ。居心地の良いところから、一歩も動くことができない。なんだかんだと理由をつけて、そこから動こうとしない。母も自分も、望んで井の中にいる蛙《かわず》だった。

子供のころの記憶は、夏の黒い海に似ていた。打ち寄せる波が重たい。母の声は遠くから押し寄せ、海の底が深場から浅瀬へと変化するところで急に白波を立てる。持ち上がった波も引き潮も、海水に見えるがその動きは濃い墨のように重い。

――すばらしいです。たぁちゃんは、天才ですよ。

――ちっちゃいのにこんなに上手な字を書く子は初めて見ましたよ。

母に褒められるのが嬉《うれ》しくて、かたときも筆を離さなかった。小学校に上がっても中学のころも、高校へ進学してからも、なにかと文字を書く場面に立たされた。母も、後戻りのきかない今ごろになって息子が自分の目で天賦《てんぷ》の才能を見てしまうとは想像していなかったろう。

母の様子は一月から少しも変化がない。機嫌の悪いときはテレビのリモコンを放り、気持ちの上下でたびたび熱も上がる。嫁に対するうっすらとした敵意も、下の世話も、体がままならない様子もなにひとつ変わったことはなかった。

医者ですら詐病《さびょう》を見破ることができない。母は自分の体だけではなく、人の心もちまで動かせる術《すべ》を見つけたのだろう。一瞬、息子にだけ正気の様を見せた理由はなんだったのか、半年のあいだ、こちらも騙《だま》されたふりを続けながら考えている。黒々とした海の向こうは灰色の雲に覆われて、この世に白と黒以外の色があることを忘れそうになる。階下から伶子の声がした。

「龍さん」

名前を呼ばれるのが実に久しぶりだったことに気づいた。夏休みを前にして仕事が忙しいなか、今日は一日しっかり休むつもりだという。朝食の際に「珍しい」と言ってしまったことを後悔している。皮肉のつもりなどなかったが、伶子は応えなかった。

何気ない会話が減っているのは、お互いに疲れているせいだけでもないだろう。年明けから変わらない。避けられている気はしないが、うまくいっているとも言いがたい日々が続いている。秋津は短く返事をしたあと、急いで窓を閉めて階段を下りた。

「純香さんからです」

受話器を受け取る。秋津です、と言ったところで余裕のない声が返ってきた。

「秋津先生、兄が熱を出してしまいました。今日はお教室に行けません」

「風邪ですか、熱はけっこう高いんですか」

「三十八度五分あります。今日はお教室をお休みして、兄の看病をしたいのですが、よろしいですか」

「当然です。こちらのことはいいので、お兄さんの看病をしてあげてください。そんなに高い熱ならば病院に行ったほうがいいのじゃないかな。大丈夫ですか」

「お薬を飲んで寝ています。先生への用件は終わりました。すみません、伶子さんに代わってください」

秋津は緊迫した純香の話しぶりにのせられ、慌てて伶子を呼んだ。

「きみに代わってほしいそうだ」

受話器を受け取ったあと、伶子も同じような報告を受けているようだった。先に電話を取った伶子にではなく、まず秋津に教室を休むことを伝えてから電話を代われという。筋が通っているようなどこかおかしいような、それが純香の思考の不思議なところだ。

伶子が林原の症状を訊いている。熱はいつから出ているのか、咳や鼻水は、食欲はあるのか、困ったことはないか。秋津は伶子の言葉で純香とのやりとりを想像しながら台所に立つ。水を飲もうと湯飲み茶碗《ぢゃわん》に伸ばした手を止めた。

「お家は、たしか図書館の近くでしたね」

なぜそんなことを、と妻を振り向き見る。伶子は秋津の視線に気づかぬ様子で電話の液晶画面に表示された電話番号を控えていた。

「咳が止まらないんですね。今、寒がっていませんか」

健康相談にしても病院の紹介にしても、面倒見のいい女だった。どこかで誰かの熱が高いと聞けば、病院の紹介くらいはすぐにするだろう。秋津が引っかかったのは、家は図書館の近くということを確かめる言葉だった。普段であればなんの疑問も持たぬはずのひとことだ。

食事に困っているならば、すぐに食べられるもののひとつも届けようという気になるだろう。伶子の言葉にはなんの矛盾も疑問もない。純香に向けた言葉をすんなりと腹に落とせないのは、秋津自身の問題だった。

生活の一切を頼っている妻に、言えないことがらをひとつふたつ抱えている。後ろめたさをくるりとひっくり返してくれる出来事が起こるのを、心の内で探り、待っている。

伶子が林原に興味を持っていると考えると、こちらも少しは楽になる。不愉快の裏側で、手を叩《たた》いて笑い出しそうな自分が見える。

「お話ができるような感じですか。今、横になっていらっしゃるのね。わかりました。純香さん、もしあったらおふたりともマスクをしていてください、念のため」

事務的な話しぶりのなかに、不用意な発言を探す。言葉自体はなんの無駄もない。いつもどおりの伶子だ。秋津は自身の内にある隠しごとと伶子の言葉や態度に逸脱や夫以外に向く興味を推しはかる。こんな卑屈さも、自分に年相応の肩書きと収入があれば気づかずに済むのかもしれない。

外で働くことさえできたら、あるいはもっと自分に自信を持つことができたら。伶子が休みの日は特に、秋津を家に縛り付ける母の真意が知りたい。

受話器を置いた伶子が、台所の時計を見た。秋津も妻の視線の先を見る。午前十一時。

「館長、どんな感じなの。風邪じゃないのかな」

「熱に咳がついているみたい。学校でも最近マイコプラズマ肺炎が流行《はや》ってるの。もしそうなら、純香さんが心配」

秋津の意識が伶子から純香へと動いた。

「マイコプラズマって、咳が止まらなくなるやつだったかな」

ええ、と返して伶子がもう一度時計を見た。自分でも驚くほどすんなりと言葉が滑り落ちる。

「純香さんに感染《うつ》ったら、厄介だね。なんとかしてあげられないものかな」

伶子の表情に明るみが差した。

「うちができることはないだろうか」

「気管支系の内科が開いているといいんだけれど」

「純香さんがひとりで館長の看病をするのは大変だろう。行ってあげたらどうだろう。感染の心配があるのなら、預かったほうがいいんじゃないだろうかね」

「今なら、土曜診療の病院に間に合うかもしれない。行ってみましょうか」

はずしたエプロンを椅子の背もたれに掛けて、伶子が廊下にでた。秋津は母のベッドのそばに立った。

「おかあさん」

母はしっかりと目を開けて秋津を見上げた。濁りも澱《よど》みもない瞳だ。もう一度、呼んでみる。今度は口を軽く開いてまぶたを半分下げた。

「純香さんのお兄さんが、ご病気だそうですよ。熱と咳だそうです。感染したら大変そうだ。すこし、彼女をお預かりしてもいいでしょうかね」

「たぁちゃん」掠《かす》れた声が返ってくる。

「なんですか、おかあさん」

「たぁちゃん」

「純香さんのこと、覚えていますか。いつか楽しそうにお話をしていたでしょう。あの、天使みたいな子ですよ。彼女なら、ここで寝泊まりしても、いいですよね」

母は下あごを二度上下させた。うなずいているつもりのようだ。本当に詐病なのか。この姿が母にとってなにか利益になっているのだろうか。それは、意図がどこにあるのかということとはまた別の話だった。

「純香さんがしばらくここにいるかもしれないとなると、猫も一緒にやってくるのかな。おかあさんにも、いいリハビリになるんじゃないですか」

秋津は母の顔を覗き込んだ。首筋や寝間着の合わせ、胸元からも枕《まくら》からも、老人特有の饐《す》えたにおいがする。

――おかあさん、ずっとそうしていてください。

伶子がもしも母の詐病に気づいたら、自分は今よりはるかに苦しい立場に立たされるだろう。逃げだしたい現実に気づいていても、ここで母を放りだすことはできなかった。

午後一時、様子を見に行った伶子から連絡が入った。

「入院することになったの」

「入院って、そんなに悪いのかい」

「過労もあるみたい。今、病室に入って点滴を受けてます。看護環境をお話ししたら、大事をとって入院してもらいましょうって。今、マンションに戻ってきて純香さんに二、三日分の着替えを用意してもらっているところ。届けてから家に戻ります」

「純香さんをひとりで置いておくわけにはいかないいんじゃないか」

「そうなの。でもお義母《かあ》さんは嫌がらないかな。うちに来てもらうにしても、猫ちゃんも一緒となると騒がしいでしょうし」

「だいじょうぶ。俺から言っておくから。純香さんなら一緒にいても楽しいでしょう。とりあえず、うちに泊まるぶんには館長も安心してくれるんじゃないかな」

わずかな間があいて、伶子が「そうね」と応えた。秋津は純香の内側に近づけるかもしれない予感に、急に落ち着かなくなった。

洗濯機を回し、洗い物をし、台所のシンクまで磨き込む。入院した林原のことはときどき思いだすだけだ。秋津の思いは、純香がこの家にいるあいだ何が起こるのだろうという期待と興味に傾いている。

教室も終わりに近づいた午後二時半、伶子が純香を伴い家に戻ってきた。課題を書き終えた者から順に帰ってゆく時間帯だった。伶子が入口の戸を薄く開けて中を覗き込む。残っている生徒は澤井嘉史と小学生のふたりだ。

伶子の脇《わき》をくぐり抜けるようにして、純香が教室に入ってきた。白い猫を抱いている。純香は教室の戸口の前で深々とお辞儀をした。

「先生、お世話になります。お教室を休んでしまいすみませんでした」

「お兄さん、大変だったね。疲れがでたんだろうか」

「ノブちゃんは先生と違って、毎日忙しいですから」

秋津がひるんでしまうほどまっすぐな瞳で答えた。母親の介護と書道教室だけでは、純香の目には忙しく見えないのだろう。兄が入院となっては心細いのか猫を胸元から放さない。伶子が純香を教室に残して戸を閉めた。帰り支度を終えた小学生が駆け寄り、猫の喉元を撫《な》でる。猫よりも純香のほうが嬉しそうだ。

「純香先生、猫の名前、なんていうの？」

「パンダです」

「白猫なのにパンダなの」

「パンダはこの世でもっとも美しい生きものですよ」

ふぅん、と言ってはいるが納得にはまだ遠いようだ。嘉史が席を立ち、秋津の横にやってきた。改めて見ると、ここ一年でずいぶんと背が高くなった。嘉史が不機嫌そうな様子で純香の腕から猫をひきはがす。嘉史に抱えられても、パンダはおとなしくその腕に収まっていた。

「猫にパンダなんて、おかしいよ」

「よっちゃん、猫が嫌いなんですか」

「別に。どっちでもない。純香先生は相変わらずおかしなこと言ってばかりだ」

「わたし、おかしいですか」

「気づかないところが馬鹿《ばか》だって、みんな言ってる」

「嘉史、やめなさい」

秋津にたしなめられても表情ひとつ変えない。仏頂面《ぶっちょうづら》のまま腕の中の猫を見ている。

秋津は、ははぁとちいさくうなずく。今日、純香が教室にいなかったことに腹を立てているのだろう。少年の自意識が素直に会えたことを喜ばせないのだ。

「よっちゃん、今日はいい字を書けましたか」

「俺は天才だからね。うちの母さんもそう言ってる」

少年の自尊心を逆なでしないよう、秋津は指導机の椅子《いす》に座り純香と嘉史のやりとりを眺めた。嘉史は先日、中学生向けの絵画展で入賞した。新聞記事では母親のコメントのほうが長かった。

母と息子の二人三脚──そんな小見出しを思いだすと、秋津の脳裏に昔の母が蘇《よみがえ》る。

純香は屈託のない表情で「天才、すごいですね」と言った。嘉史は半ば放るようにパンダを純香に戻した。

「やっぱり純香先生は馬鹿だ」

課題を提出もせずに帰り支度を始めた嘉史を、純香は不思議そうな表情で追っている。猫がひとつあくびをした。

嘉史が去った教室で、秋津は再び純香と向かい合った。

「その猫、ずいぶんおとなしいんだね」

「パンダは人間とお話ができるんです。先生もわからないことがあったらこの子に訊いてみませんか」

「僕はわからないことだらけで、なにから先に訊けばいいのかもわからないですよ」

「思いついた順番でいいと思います。いつでもどうぞ」

教室の後片付けを終えて、台所へ入った。伶子が冷蔵庫の前に立っていた。

「疲れていないかい。夕ご飯、俺が作ろうか」

「簡単なものにするから、だいじょうぶよ。純香さんとお義母さんをお願いします」

伶子が冷蔵庫から芋やにんじん、豚肉や油揚げを取り出し調理台にのせた。林原の様子を訊《たず》ねてみた。味噌《みそ》が入ったタッパーウェアを持って冷蔵庫のドアを閉めた妻の、昼の動きを見る。

「抗生物質の投与と点滴で、明日にはかなり回復すると思う。純香さんのこと、ずいぶん気にしているみたいだった。何度も謝っては咳き込んで、気の毒でした」

とにかく休養がいちばん、と伶子が言った。そうだな、と秋津が返す。出会ったころから彼女の、年齢のわりに表情の乏しいところが好きだった。感情の在処《ありか》が読めないところが魅力だった。長いこと、なにを考えているのかわからない女の微《かす》かな変化を見つけるのが喜びになっている。

今、秋津の興味は伶子から純香へと移っていた。純香が心のほとんどを占めているというのに、伶子を愛《いと》しく思う心にも嘘《うそ》はない。冷静になどなれないくせに、冷静な言葉を並べて己を落ち着かせようとしている。純香は秋津にとってなんとしても手に入れたい代えがたき才能の塊。伶子は妻で女。甲乙のつく問題じゃない。思うそばから、心のありようをそのまま誰かに見透かされているような気持ちになった。

純香が母のベッドの脇に立ちなにか話しかけている。パンダを紹介しているらしい。先ほど秋津に告げたことを繰り返しているようだ。

「おばあちゃんも、わからないことがあったらパンダに訊いてみてください」

母の声は聞こえない。音にならないところでふたりのあいだにどんなやりとりがあるのだろう。見てみたい気もするのだが、見てはいけないという気持ちのほうがつよい。秋津は芋の皮を剝《む》いている伶子の肩先を眺め続けた。

その日は母の機嫌も良かった。純香が母の耳元でなにか囁《ささや》くたびに、こもった笑い声が聞こえてくる。秋津が台所や洗面室で何気なく耳にするひそひそとした声は、母がケアハウスの宿泊から戻ってきた日を思いださせた。

伶子は別段、ふたりの会話を気にしている風もなく、すこし疲れた表情でやり過ごしている。結果、三人の女たちの様子は秋津に不安を与え、さまざまな良くない想像をかき立てている。

純香は十時になると、風呂《ふろ》上がりに着替えた生成りのパジャマ姿で秋津と伶子に丁寧にお辞儀をした。

「今日はありがとうございました。おやすみなさい」

母の付き添いが必要な日に使うソファーベッドに横になったかと思うと、純香はすぐに寝息を立て始めた。こちらが「おやすみなさい」と返してから、三分を待たぬ寝つきの良さだ。パンダは純香が眠るベッドの下で、くるりとまるまっている。

秋津は明かりを落としたあと、静かに歯を磨いた。林原の容態は気になるが、今夜の秋津家は母の機嫌が良いぶん静かでありがたい。戸締まりを確認し、二階に上がった。

昼間より湿度が高くなった寝室で、伶子がクッション代わりの枕に背をあずけ本を開いていた。世界遺産を収めた写真集のようだ。ベッドの横に移動させた机に、卓上照明が置かれている。照明の隣に携帯電話の充電器があった。

「なんだか、不思議な子だね。思ったより気を遣わなくても良さそうでほっとしたけど」

本から顔を上げて、伶子が微笑《ほほえ》んだ。いつのまにか、妻の言葉を待っている。自分が放った言葉にはすべて反応してほしい。そう思いながら、不安が秋津を饒舌《じょうぜつ》にしている。本に視線を戻した伶子に「病室では携帯電話は使えるのか」と問うた。

「原則としては駄目だけど、度を超さない限りうるさくはないと思う。今回は急なことだったし、お仕事の指示も大変だろうから」

「電話で指示できるくらい、回復してるの」

「スタッフの方たち、みんな優秀なんですって。業務のほうは二日や三日、自分がいなくても大丈夫って言ってた。問題は対外的なことみたい。市民参加のイベントや地元のスポンサーとのつき合いとか、色々とあるらしいの」

「そういうこと、携帯電話で話すのかい」

伶子は不思議そうな顔をした。ひと呼吸おいて「病院で聞いたことだけど」と語尾を上げる。

ときどきふたりが携帯電話でメールのやりとりをしているのは知っているが、話題は純香のことだとばかり思っていた。

――今日は純香さんの機嫌がいいそうよ。

――純香さん、猫を飼い始めたんですって。

ふたりはあくまでも「秋津と純香」の窓口として存在していると高をくくっていた。

秋津の脳裏に、妻とつき合っていた物理教師の輪郭が影絵のように浮かび上がる。

「今日も、館長からメール届いてるの」なるべく卑屈に響かぬよう訊ねてみる。伶子は首を横に振った。

「咳を抑える薬も点滴に入っているから、たぶんずっとうとうとしていると思う。熱は割とすぐに落ち着くんだけど。肺炎だから、完全な回復まではずいぶん時間がかかるの。明日また様子を見に行ってくる」

秋津はベッドに入り、テレビのスイッチを入れた。寝る前にニュースやNHKの自然番組を観《み》ている。寝室にテレビというのはひどく贅沢《ぜいたく》のようにも思えたが、伶子がたまには映画も観たいと言ったときは嬉しかった。秋津との時間を大切にしようとしている、と思った。

どんどん思考の方向が自分の都合のいい方へとずれている。その証拠に、伶子の行動のそこかしこに「裏」があるのではと考えてしまう。妻にも自分と同じくらいのやましさがあることを願っている。

「林原館長って、こういうときに頼りになるひとはいないのかな」

「頼りになるひとって？」

あからさまに「女」と言うのもためらわれた。

「身内とか、彼が純香さんのことで心置きなく頼れるところ。職場にそういう感じのひとっていないんだろうか」

「さぁ、どうなんだろう」

伶子はあまり興味のない様子で応えた。体ひとつぶんあった隙間《すきま》を縮めて、妻の手元にある本を覗《のぞ》き込む。白い指先がライトの下で、ピラミッドのページを押さえていた。タオルケットの内側に投げ出された伶子の膝《ひざ》に手を添える。ちいさな丸い皿が触れる。皮膚の内側にありながら、彼女の体からぽっかり浮いていた。本を持つ手に変化はなかった。秋津は膝に添えた手をわずかに上へと這《は》わせた。妻の太ももに力がこもる。

不意に、ライトの下の携帯電話が震え始めた。一度、二度、三度。伶子の視線が流れ、温かな膝も秋津の手から離れた。

慣れた仕草で充電器から外し、画面を開いている。秋津はどこからかと問うた。

「生徒から。うちの学校の書記長なの。開校以来初めてっていうくらい優秀な子」

「修学旅行で倒れた子だったっけ」

「うん」

開いた画面に視線を走らせている。生徒とメールのやりとりをするのは初めてだと言っていた。校内への携帯電話の持ち込みは禁止しているらしいが、そんな校則はないも同然だという。

「模試の結果が上々だったって。よかった」

「そんなことまで報告してくるのか、こんな夜中に。いちいち生徒のメールにつき合っていたら、大変じゃないのか」

伶子の眉が寄った。体に伸ばした手をかわされた苛立《いらだ》ちと静かな夜が、秋津の態度の矛先をぶれさせる。

「いろいろ大変なものを抱えてる子なの。こういうことはしないようにしていたけど、自分の中に例外を作っちゃった」

応えず横になった。気づけば体を猫のように丸めている。

今年も終戦記念日に向けての特集が始まっていた。白黒の画像が放つのは、遠いのか近いのかわからないまま毎年のように流れて消える戦争の記録だ。なにもかもが白黒で、「忘れまい」と言いながら、長い時間が流れたことを思わせずにおかない。映像の中で行進する兵士たちの見た空も青かったに違いないというのに。

目を瞑《つむ》ると、母がしゃんとした足取りで歩いている姿が浮かんだ。こうしているあいだも、階下で母がベッドから起きだして家の中を動き回っているような気がする。

若いころから溜《た》め込んだ、簞笥《たんす》の奥のへそくりを数えて仕舞うことを繰り返している姿を想像する。本当に歩けるのなら、と思った。あれが詐病ならば、ときおり母の首に手を回してみたくなる衝動にもうまい理由がついてくる。

秋津はこのまま母の様子を見に行ったらどうなるだろうと考えては、腹の底から湧《わ》いてくる笑いをかみ殺す。夜中の台所で目が合ったとき、母はどんな顔をするだろう。彼女が倒れてから今までにあった不思議なことのあれこれにひとつ解答を得るのだ。冷蔵庫に入れておいたプリンがいつのまにかなくなっていたことも、伶子の下着だけ洗濯機の後ろ側に落ちていたことも、使った記憶のない硯《すずり》が教室の流し台に置かれていたことも。目を瞑れば眼裏《まなうら》で、開ければ秋津の想像のなかで、母が自由自在に動き始めた。

翌日の昼は、伶子がアサリとベーコンのパスタを作った。純香の、黙々とパスタを口に運ぶ姿は、子供のようにも老婆《ろうば》のようにも見えた。日曜日の食卓は、三人それぞれがなにを思っているのか探り合っているぶん、静かだ。

秋津家にやってきてからの純香は、ほとんど兄の話をしなかった。病状を伶子に訊ねるでもない。心配しているという風でもない。現状を心から追い出して、淡々と呼吸や食事を繰り返しているように見えた。

純香が用を足しに部屋をでた際、洗い物を終えた伶子が言った。

「今日、電器屋さんに行って掃除機を見てこようと思うの」

「掃除機、調子悪かったっけ」

「ずっと買い換えなきゃって思ってたんだけど。昨日とうとうおかしな音がし始めちゃって」

家電量販店へ行って郊外の大型スーパーに寄り、帰りがけに林原の様子を見てくるつもりだという。教室や廊下など、秋津も掃除機を使うことはあるのだが、調子の悪さには気づかなかった。音が大きくなったり吸い込みが悪くなったりするのは、自分が無精をして大きなゴミを吸い込んでしまったせいだとばかり思っていた。

「純香さんも連れて行ったほうがいいかな。あの様子を見ているとちょっと考えてしまうんだけど、龍さんはどう思う」

「どう思うっていったって。そういうことはきみのほうが」

伶子が首を傾《かし》げた。正直を言えば純香や母といるよりも、伶子と顔をつきあわせているほうが気詰まりだった。

「彼女とふたりで外出となると、いろいろ気を遣うだろう。純香さんが病院に行きたいと言うなら別だけど、先に容態を見てきてからでもいいんじゃないか」

彼女を連れて行って感染でもしたらそっちのほうが問題だと言うと、伶子も納得したようだ。

二階で身支度を整えた伶子が玄関を出てゆく。すぐに軽四輪のエンジン音が家を離れた。

洗濯物をたたみ終わった秋津が隣の部屋を見ると、純香が母の介護ベッドの横に食卓椅子を置いて座っていた。椅子の下では白い猫が体を丸めている。

ときおり母の、乾いた和紙を丸めるような声が聞こえた。ふたりはテレビを観たり猫を撫でたりしながら、こちらにはよく聞こえぬ小声で話しては、笑っている。

たたんだバスタオルを母のベッドの足下に置いた。純香の視線が秋津に注がれている。好奇心でいっぱいの、子供の目だ。

「なんだか純香さんもおかあさんも、楽しそうですね」

「おばあちゃんのお話、おもしろいです」

「どんなお話をしてるんですか」

「内緒話ですから、内緒です」

真剣な目を見て思わず笑った。純香が母の耳元に唇を寄せて囁いた。

「おばあちゃん、それじゃあさっきの約束、忘れないでくださいね」

純香が立ち上がった。ひと呼吸遅れて猫も体を起こした。母だけが秋津と目を合わせない。なにも言わない。

「純香さん、どこへ行くんですか」

「お教室です。字を書きます」

秋津は並んだ机を隅に寄せて、純香が毛氈《もうせん》を広げられる場所を作った。純香は手伝うでもなく筆の並ぶ窓辺に立っている。

条幅を書く際には生徒たちが行う作業だが、純香は当然という顔をして床が広げられてゆくのを見ていた。秋津は彼女が持つ力を、疑うことなき天賦の才能なのだと思う。本来、筆を持つ直前に力仕事などしてはいけない。

純香が自分から筆を持ちたいと言いだしたのは初めてだった。秋津の胸に無数の白い波が立ち始める。沖からぐるりぐるりとうねりながら、波打ち際《ぎわ》で秋津の心を巻き込んでいる。

「純香さん、今日はなにを書くんですか」

純香は秋津の問いが聞こえているのかいないのか、筆を手に取らないまま窓辺を離れた。秋津は壁に背中をあずけ、純香の動きを目で追った。自分の心臓の音が体から漏れはしないかと身を固くする。

純香は大型の器に純黒の墨液を注ぐと、膠《にかわ》の液を数滴垂らした。六尺全紙用の毛氈を広げると、教室が急に狭くなる。純香が手漉《てす》き大画仙紙の束を引き出しから取り出したのを見て、秋津の体が前後に揺れた。『墨龍展』の出品に使おうと思っていた五十枚ものの束だ。

毛氈に広げられた手漉きの紙は秋津の胸奥に寄せる波と同じ色をしていた。与えられた枠から一生飛びだすことのできない、十人並みの欲望を嗤《わら》っているようだ。自分はこの紙に、更にどんな欲を包もうというのだろう。

墨と紙の準備は整った。筆がなかなか決まらない。純香の視線が教室の用具箱のあたりで止まった。硬筆用の鉛筆やペン類、ペーパーナイフなどが入ったペン立てから、小ぶりの裁ち鋏《ばさみ》を引き抜く。

純香の右手に握られた鋏が無造作に摑《つか》んだ髪に入ったとき、秋津の背筋から覚えのない痛みが這い上ってきた。恐怖に違いないのだが、感じられるのは沁《し》みるような痛みだ。いちどきつく目を瞑った。数秒待ち、開く。

鋏をペン立てに戻し、十五センチほど切り落とした髪を純香が左手から右手へと持ち替えた。教室内に差し込む少ない光を集めて、数本の髪が揺れながら床に落ちる。

右手の拳《こぶし》に握った髪の毛の束に、墨を含ませる。拳が墨に浸《つ》かる。手首まで純黒に染まったところで、純香の体が宙に浮いた。

秋津は震えた。

画仙紙の右下からひと文字目の筆を入れるという発想も、四つの文字を時計回りで書くという想像力も、余白が中央にくることも——本当の恐怖は、こんな風にして邪気を孕《はら》むことなく腹の底に打ち寄せる——秋津にはできぬことだった。

「パンダ、おいで」

猫が優雅な足取りで純香のほうへと近づいてゆく。

純香が右手に握っていた髪の毛をゴミ箱に放った。流し台で手を洗い始める。

秋津は身動きもできないまま、純香の体が通り過ぎた大画仙紙を見つめていた。

11

祖母が泣いていた。

かさかさとした泣き方だった。なにをそんなに泣くことがあるのかと問いたいのだが、信輝の喉《のど》からは風の音がするだけでなにも言葉にはならない。純香のことなら心配ないと伝えたいのに、もどかしい思いが寄せて重なるばかりだった。信輝の思いが伝わらないまま、祖母の面影は薄れていった。

祖母が去ると、今度は里奈が泣き始めた。祖母とは違う、重たく湿った涙だ。信輝は、里奈の涙の意味を知っている。長いこと見て見ぬふりを続けていることが涙になって頬を伝っている。こちらが謝ることしかできない涙だ。なのに申しわけないと思いながら、やめてくれないかと哀願している。自分のそんな心根を忌々《いまいま》しく思っている。

里奈の輪郭が曖昧《あいまい》になり、次は秋津伶子が現れた。伶子は信輝には理解できない涙を流している。それまで灰色の背景しかなかったのだが、急に景色を持ったことで夢と気づいた。見慣れた図書館の応接室にいる。日常と地続きの場所だ。信輝は目覚めるきっかけを失った。夢だと思いながら、記憶を辿《たど》っていた。

信輝と関わりのないことで泣いているのか。泣く理由がわからないことは、信輝に甘い想像を許した。秋津伶子の涙を、彼女の背後に広がる夜景が美しく彩《いろど》っている。信輝は伶子の肩に手を伸ばした。華奢《きゃしゃ》な体が易々《やすやす》と胸に倒れ込んでくる。髪のにおいを嗅《か》いでいた。このにおいには記憶がある。背中を包んだ両手に、力を込めないよう努めた。伶子の背に触れている緊張に、夜景の美しさが重なり、こちらも泣きたくなってくる。伶子が腕の中で肩を震わせていた。ずっとこのまま泣いていろ。飽きるまで泣き続けろ。伶子の涙が流れれば流れるほど、信輝の胸には得体の知れない満足感が押し寄せてくる。

秋津伶子の体温が腕から胸から、沁みてくる。信輝は髪から漂ってくるのが墨のにおいであることに気づいた。幼いころ自分の周りも同じにおいがした。祖母からも母からも純香からも、同じにおいがしていた。気づいてしまったことに苛立ちながら、なお怜子の髪に鼻を近づける。これは秋津龍生のにおいだ。それまであった強気が揺らいだ。意識の奥底から純香が浮き上がってくる。表情がない。感情の在処がわからない。信輝は純香が泣いたところを見たことがなかった。祖母を亡《な》くしたときも、門下生が号泣するなかで純香だけがぼんやりと遺影を見ていた。

静かに目を開けた。天井がぼやけている。点滴の確認にやってきた看護師が、信輝が目覚めたことに気づかぬ様子で病室を出て行った。

「ノブくん、だいじょうぶ？」

ベッド脇に里奈がいた。あぁ、と声に出す。里奈の顔が近づいてきた。

「風邪をひいたとしか聞いてなかったから、まさか入院騒ぎまで起こしてるとは思わなかったよ。昨日のメール、びっくりしちゃった」

「俺もだ」

咳《せき》が止まらなくなりそうだ。里奈は話さなくてもいい、と言って携帯画面を開いた。メールを打ち込んで閉じる。

「うちのお母さんに。まだこっちに着いたって連絡してなかったの」

入院と聞いたときに、純香をどうするか考えた。祖母を失った際に「純香はひとりで暮らせます」という言葉を信じた日が、遠い昔に思えた。秋津怜子の手を煩《わずら》わせたことを半分嬉しがり、残り半分は恥じた。昨日の午後、図書館に事情を知らせる連絡を入れ、少し迷いながら里奈に入院を報《しら》せた。二、三日で済まなくなった場合を考えてだった。「行こうか？」というメールには「応援が必要になったら、頼む」と返した。

「明日と明後日《あさって》、休暇取ってきたから」と彼女が言った。ありがとう、と短く返す。里奈がいれば、秋津伶子の手を煩わせることもない。そこまで考え、浅い夢のなかで里奈の涙に感じた疎《うと》ましさが蘇った。

枕元に置いた腕時計を手に取る。午後二時。純香はなにをしているだろうか。妹がいつもの調子で振る舞っているとしたら、厄介なことだろう。気になさらずに、と伶子は言ったがそうもいかない。

「純香ちゃんは、ひとりで家にいるの？」

説明すれば長くなりそうだ。知り合いに頼んでいる、と返す。

「ノブくんが明後日までに退院できそうなら、わたしが一緒にいるけど。そこは勝手知ったるなんとかで、心配ないよ」

実家の鍵《かぎ》を渡している気安さが、信輝の気持ちを楽にする。体は重たく怠《だる》いが、頭の中や心もちは体が動かぬぶんやたらと急《せ》いて忙しかった。

職場からのメールは塚本が窓口だった。昨夜は「本日はつつがなく業務終了」、朝は「無事開館しました」。あとは短く「ゆっくり休まれてください」と続く。塚本がいれば大丈夫だろうと思った。館内業務は彼女がいれば安心だ。力仕事と対外的な業務、館長の仕事は手っ取り早く言えば雑務だ。替えが利《き》かないところといえば判断と周知。そこに金が絡《から》めば、今まで積み上げたものが活《い》きる。幸い、毎日それらのことに追われていた時期は過ぎていた。

この街にやってくるまでは、人に頼るということを知らずにいた。純香と暮らすようになるまでは、何ごともひとりでできると信じていた。ままならない存在があって初めて、過去の傲慢《ごうまん》さを恥じている。役人体質に嫌気がさして飛び込んだ世界で、自分が誰も批難することなどできなかったことに気づいた。ちいさな男だった。

息を吸って吐くことに神経を注ぐ。うっかりつよく吸い込むと途端に咳がでる。咳をすると胸が痛い。痛みは胸から腰、体の節々に移ってはまた胸に戻ってくる。咳を我慢しようと目を瞑る。

里奈は「もうすこし眠ったらいいよ」と言う。薄桃色のカーテンで仕切られているが、病室には信輝を含めて四人の入院患者がいた。日曜日なので見舞客も多いらしく、開け放した戸口を行き交う人の足音が絶えなかった。

午後三時を過ぎたころ、カーテンが揺れて、秋津伶子が現れた。里奈が立ち上がって頭を下げた。信輝は自分がこの場の中心にもかかわらず逃げだしたい心境になった。

「使ってください、どうぞ」里奈が丸椅子を伶子に譲った。伶子は恐縮しながら差し出された椅子の上にレジ袋を置いた。

「お水です。室温で飲まれたほうが咳にもいいと思います。乾燥がいちばんいけないので」

「純香のことも、何から何まで、ありがとうございます」

里奈が信輝の言葉を受けて、再び伶子に頭を下げた。立ったまま信輝を見下ろす女ふたりに挟まれて、点滴の針を腕に刺したまま寝そべっている。気まずい理由などこにもないと自分に言い聞かせてみる。そのそばから、図書館の応接室で秋津伶子を抱きしめたことを思いだしている。

「ちょっと、失礼します」

里奈は伶子に会釈《えしやく》をし、信輝の方は見ずに携帯電話を持って病室をでていった。

「純香の姉みたいなものなので、とりあえず連絡しました」

「差し出がましいことをしました。純香さんをお連れすればよかったですね」

いいや、と首を振ると途端に咳き込む。枕元にあったマスクをつける。咳がおさまって改めて伶子を見上げた。クリーム色の綿シャツにジーンズ姿だ。手の届きそうなところに腰がある。純香の様子を訊ねた。

「変わりないように思います。お兄さんのことを口になさらないのは、秋津やわたしに気を遣っているせいでしょう。全身で心配されているんです。言葉にだすと心細くなってしまうのかもしれません」

ありがとうございます、としか返せない。

「お医者様からは熱が落ち着いたらご自宅に戻ることもできると伺っています。入院も応急のものでしたし」

伶子がカーテンの向こうへ視線を泳がせたあと、声を潜めた。

「退院手続きはお任せしてもよろしいですか。純香さんのことはどうかお気になさらず。林原さんの体調が落ち着かれるまでお預かりさせていただきます」

「いや、今夜は彼女がいるので家に戻してください。秋津先生にもあなたにも、ご迷惑は」

つと口をついてでた「あなた」という言葉に信輝自身が戸惑った。ひと呼吸置いて、伶子がうなずく。

「わかりました。晩ご飯のあと、面会時間が終わって少し経《た》ったころ、ご自宅にお送りします。なにか気になることや困ったことがありましたら、メールでも電話でも、すぐに連絡をください」

彼女は、話していると気管に負担がかかるだけだから、と言ったあと手に提げていたバッグを肩へかけた。その際左手が布団《ふとん》のずれ落ち防止のパイプに置かれた。いっとき時間が止まる。

信輝の右手が、吸い寄せられるように伶子の手を包んだ。ベッドを囲むカーテンも揺れを止めている。この世に存在しない時間かもしれない、と思う。手のひらに力をこめた。伶子が重ね合った手を見ている。

応接室で感じた、あの心細げな秋津伶子ではなかった。涙の理由を問うた信輝に「なにもかも、かなしくなって」と応《こた》えた伶子を、手のぬくもりのなかに探している。ここで、もっとかなしんでくれと思う。尽きるまでかなしんでほしい。

伶子の唇の両端が持ち上がる。感情の在処がわからない笑みだ。信輝は右手にこめた力を抜いて、伶子を解放した。一礼して去ってゆくのは彼女流の矜持《きょうじ》だろうか。伝わってきた体温は、胸で発酵を始めて別のものになりつつある。なにもかもかなしいのは信輝のほうだった。

あともどりのできない場所にきた。数秒のできごとは信輝の心を持ち上げては締めつけた。胸の痛みが咳によるものなのか踏み込んだ場所への恐れなのかわからなくなっている。

伶子が立ち去ってから数分で、里奈が戻ってきた。携帯電話をバッグに入れる。

「ロビーでちょっと挨拶《あいさつ》したんだけど、秋津さんって純香ちゃんが手伝ってる書道教室の奥さんなんだね。今日、面会時間が終わったころに純香ちゃんを送ってきてくれるって」

うなずくと、「きれいな人だね」と返ってくる。信輝は目を瞑った。

退院した月曜日は小雨が降っていた。このあたりは夏の雨でもひどく冷たい。里奈は信輝の車を運転しているうちに、少しだけ街の様子がわかってきたという。

「駅前を見たときはいったいどんなところだろうって思ったけど、ひともお店もみんな郊外に移動してるんだ。そういう意味では、図書館のある場所って、今はもう街外れなのかもしれないね」

『シェルタリング・スカイ』の一節を思いだす。里奈の言うとおりだ。街もひとも、ゆっくりと移動している。ガラスと同じように、目には見えない速度で溶け続けている。

里奈は週明け二日間の休暇に、電話連絡でもう一日足した。信輝と純香の週末までの総菜作りや買い物をしておくという。

「ノブちゃん、純香は朝、美容室に行きました。美しくなっていますか」純香は台所で里奈の手伝いをしながら、何度も同じことを言う。信輝はそのたびに「美しいです」と答えなくてはいけなかった。

里奈は「ちょっと毛先が不揃《ふぞろ》いになってたから」と笑っている。

「自分で切っちゃったみたい。奥様が申しわけながってた」

「そうか、ありがとう」

ふたりを眺めていると、彼女がずっとそこにいたような、これからも居続けるような気がしてくる。失えば痛手だとはっきりとわかっているのに、未来を共有できる気もしない。この矛盾をどう表現すればいいのか、戸惑った。

秋津伶子に退院したことを伝えねばならないと思うのだが、うまい文面が見つからなかった。話すとまた咳き込んでしまいそうだし、意図せずに訪れる沈黙も恐《こわ》い。

純香の相手や溜まった家事や掃除、三日間で信輝の手の届かなかったことの一切をやりきってしまうつもりだという里奈に、マスクをしろと叱《しか》られながらただ座っていた。

朝から続いていた小雨が止《や》んだようだ。信輝は充電器に差し込んだ携帯電話をときどき振り向き見ながら、郵便物に目を通す。ダイレクトメールや請求書のほかに、図書館の大型封筒が入っていた。『林原館長』と書かれてある。開くと、図書館宛《あ》てに届いた郵便物が入っていた。封書を輪ゴムで束ねたいちばん上に、塚本からのメモがある。

『全館スタッフ一丸となって、館長の留守を守っております。どうかお体一番で、しっかりお休みください。大きな問題は起きておりませんので、ご心配なく。塚本拝』

台所で里奈と純香が並んで立っている。煮物のにおいを嗅いでいると、やはり自分たち兄妹には里奈が必要なのかもしれないと思えてくる。長いためらいをいくら自分に問うたところで、答えなど返ってこなかった。ゆらりと秋津伶子の面影が漂い、むしのいい話と首を振った。

太陽のない七月の空は低く、灰色の雲に覆《おお》われている。咳《せ》き込む前のちりちりとした痒《かゆ》みが常に胸の奥にあった。里奈が顔を上げる。

「ノブくん、秋津先生の奥さんに退院したこと報告しなくていいの」

「今夜にでも」

横から純香が口を挟んだ。

「ノブちゃんは咳がでるので、純香が伶子さんにお電話します。伶子さんはやさしい人です。パンダを抱っこして、猫を飼いたいと言っていました。純香は伶子さんが猫を飼うのに賛成です」

「そう、じゃあ退院の報告は純香ちゃんのお仕事にしましょうか」

里奈から視線をはずす。秋津伶子の名前がでると、気がとがめた。それこそが信輝の負い目と、認めなければならなかった。純香が電話をする前に、メールで報せておかねばならない。携帯電話を見る。窓の向こう側は相変わらず鉛色の景色が広がっていた。

「熱いのも冷たいのも気管に負担がかかるから、適当に冷まして食べてね」

柔らかめに炊《た》いたご飯と、温野菜のサラダ、カレイの煮付けが並ぶ。食べられるぶんだけでいいから、と里奈が言う。煮付けを口に運ぶ。薄味だが、しっかりとしている。自然とご飯に手が伸びる。里奈と純香は信輝の食事が済んでから食べるという。純香は自分の部屋でパンダと遊んでいるようだ。純香がいないと、途端に部屋の空気までが重たくなるような気がする。

「仕事は、だいじょうぶなのか」

「うん。ちょっと早い夏休みだと思えば。でも、こっちの湿気って独特だね。昨日、窓を開けて空気の入れ換えをしようと思ったんだけど、湿度が高くて諦《あきら》めた。除湿器が必要よ、ここは」

「この時期は仕事から帰るたびに黴《かび》のにおいがするよ」

「明日、電器屋さんに行ってみようかな。除湿と殺菌を兼ねた、いいのが出てるのよ最近。うちの病院の待合室でも使ってる。機能が複雑でなければそんなにしないと思う」

夏は湿気に悩み、冬場は乾燥する街だった。机の上に置いてある財布を手に取ると、里奈は気を遣うなと信輝を制した。

「いらない。見舞い代わりだと思ってちょうだい。病気のたびに来られるわけでもないし、お正月はぜんぶ甘えちゃったから」

そういう問題ではないのだと言っても取り合わない。信輝は渋々財布を引っ込めた。

里奈は空いた皿を片付けながらぽつりと言った。

「ねぇノブくん、道東って、わたしにはあんまり合う土地じゃないかもしれない」

信輝は「うん」と短く返し、投薬袋から食後の薬を取りだした。

携帯電話を持って寝室に入る。里奈の言うとおり、湿気が皮膚にまとわりつく。パイプベッドに寝転び、薄い肌掛けを胸まで引き上げた。塚本からの定時報告は「万事順調」の四文字だ。秋津伶子からのメールを開いた。

『もう退院されたころでしょうか。気管支系は予後が大切。どうか無理されませんように　伶子』

胸の奥で絡まった糸が緩んだ。削《そ》ぎ落とされた数行から、伶子の気持ちを探す。近いのか遠いのか、文面からは伝わってこない。

『おかげさまで無事退院しました。お礼が遅くなり申しわけありません。このたびは純香までお世話になり、ありがとうございました。日を改めてご挨拶に伺います　林原』

送ってしまえば、あとは眠ることしか残されていないような気がしてくる。ドアの向こうで里奈と純香が食事を始めたようだ。ふたりの密《ひそ》やかな笑い声を聞いていると、この時間を手放さなくてはいけない現実が信輝を責める。

カーテンを開けていても、入ってくる西日は鈍かった。生まれ育った道央の夏景色はどこを探してもない。明日晴れるという予感もなく、淡々と始まった夏は雲の下で水平移動して秋になる。釧路にきたばかりの頃、生まれも育ちも道東という塚本が言っていた。

「七月にストーブの火を入れるなんてのは普通です。夜はフリースが必要ですよ。だけど、ここしか知らない人間にとっては七月は夏なんです。内地の人に、緑がすすけているって言われても、やっぱりわたしたちの緑はこんな色をしているんです」

内地か、と音にせずつぶやく。ここは、札幌とも十勝とも、旭川とも違う。においも景色も、湿度も人も。塚本は「流れ者の街」と言ったが、確かにそうかもしれない。海から吹き寄せる湿った風に、みんな流されている。留まろうとしないのは、街が持つ気風のようなものなのだろう。

信輝が図書館民営化で受けた逆風も、いつしか凪《なぎ》に変わっていた。柔軟と思う反面、熱しやすく冷めやすい気質のようなものも感じる。漁業と炭鉱の街なのだと思う。冷涼で草木が思うように育たないのと同じく、時間をかけてなにかを育てるということに不向きな土地なのかもしれない。

枕元《まくらもと》のデジタル時計を手に取る。午後一時三分、気温二十三度、湿度八十一パーセント。数字は無表情だ。秋津伶子のメールに似ていた。

里奈の様子が変化したのは翌日火曜日、夕食後のことだった。明日は昼過ぎの列車で帰る予定になっている。帰宅は夜も遅くなってからだろう。しばらくは買い物に行かなくてもいいくらい買い置きと総菜を用意してあるという。

純香はパンダのトイレを掃除したあと、風呂に入っている。信輝は明日からの仕事のために、塚本から届いた書類に目を通していた。書類もパソコンの文字も、目に入ってくるものすべてが、なんとなくうつろだ。

日曜の午後にやってきてから火曜の夜まで、里奈とは今後のことについてまったく触れずにいた。離れるならばなにも語りあわずにいるのがいいのかもしれないと、思い始めていた。相手の都合の善《よ》し悪《あ》しをふまえず、突然に伝えることで下がる溜飲《りゅういん》もあるに違いない。結局、信輝は結論から逃げている。

背後で里奈が信輝を呼んだ。視線をパソコン画面から外し、声の方へと向き直る。居住まいを正して、その場の空気に忍び込ませるような声で里奈が言った。

「もうこんな風に、ノブくんが病気になってもここにこられるかどうか、わからない」

今まで見たどんなときよりも柔らかい目元が、信輝の言葉を濁らせた。うん、とうなずくことしかできなかった。

「こっちにくるとき、母と喧嘩《けんか》したの。先の見通しの立たない関係を続ける年じゃあないだろうって言われた。今ちゃんと線を引かないと、このあともずっと続いてしまうって。それは親にとってはひどく残酷なことらしいのよ」

里奈の両親にとってみれば、信輝は一人娘を三十半ばまで生殺しにしている憎い存在だろう。いつまでも生徒会長ではいられない。なにか言わねばと思うのだが、うまい言葉が浮かばない。誤解しないでね、と里奈が言った。

「結婚を迫ってるわけじゃないの。結婚って仕事と同じで、好きじゃないとできないけれど、好きなだけでもできないものみたい。そういうことに、最近気づいたの。うまく言えないけど」

里奈の言うことは間違っていない。信輝は聞いていることしかできない。生ぬるい沈黙が続いた。長いつきあいに決着をつけようというときに信輝の頭をめぐるのは、明日の天気のことだったり、執務室に溜まっている仕事だったり、秋津伶子からのメールだったりした。思考がここに留まることを拒否して八方に飛び散っている。

里奈はいつにも増して落ち着いているように見えた。信輝がどんな言葉をかけてもこの微笑みが崩れる気はしなかった。今日ここで、しっかりとふたりの関係を終えるのだという思いが伝わってくる。

「ねぇノブくん、わたしお嫁に行こうかと思う」

「うん」

純香が風呂からあがった。居間の隅からパンダが純香めがけて走る。信輝はそれまで自分の視界に猫がいたことに気づかなかった。

「ノブちゃん、里奈ちゃん、おやすみなさい」

「おやすみなさい」

先に応えたのは里奈だった。信輝は少し遅れておやすみと返す。パンダが純香の脚にまとわりつきながら主《あるじ》の部屋へと入った。時計を見なくても、今が午後十時だとわかる。明日は久しぶりに早く起きなくてはいけない。

「わたしの話はそれだけ。勝手を言ってるけれど、長いつきあいだしお互い様だと思ってる」

信輝は精いっぱい笑った。

「転職したり引っ越したり、好き勝手してたけど、後悔はしてない。里奈には感謝してる。けど、謝らない。幸せになれ」

そうだね、と言った里奈の唇がわずかにゆがむ。

「ノブくん、わたしやっとわかった。幸せは歩いてこない怠け者なんだよ。ここから先は、誰も待たないし誰も待たせない。自分のペースでやっていくね」

謝ってしまえば信輝は楽になる。しかしそれでは里奈の立つ瀬がない。彼女の努力が無駄になってしまう。信輝の脳裏を純香がかすめていった。妹がいなければ、という仮定でものを考えるのは卑怯《ひきょう》だった。

惰性で続いていた関係にも、何かの拍子に前へと進むチャンスがあったはずだ。転職のとき、道東赴任が決まったとき、祖母が死んだとき、純香がやってきたとき。どの機会も逃し続けてきた。すべて信輝自身が選んだことだった。

里奈は明日から日曜日までの昼と夜のメニューをメモに書き出した。肉じゃがやシチューやカレー、焼けばいいだけになった餃子《ぎょうざ》や再加熱すればすぐに食べられるチャーハン。保存先が冷蔵庫か冷凍庫かも記してある。

「サラダ用のお野菜はちゃんと毎回使ってね。できるだけ今週中に食べきってちょうだい。ドレッシングも、フレンチや柑橘《かんきつ》系じゃなく、胡麻《ごま》とかマイルドなものにして。じゃないと咳が止まらなくなるから」

「ありがとう」

「純香ちゃんには、頃合いをみてわたしから言っておくね」

何について言っておくのか、訊《き》きそびれた。食材のことなのか、それぞれの今後の関係のことなのか。もう里奈と台所に立ったり猫の世話をする日々はないということを、純香にどう伝えたらいいものか。思いは胸の奥でぐるりとひとまわりして、改めて里奈との時間を辿り始める。思いだしながら心の隅で、ふたりのあいだにはもう

「これから」がないということに安堵《あんど》していた。

最初からこんな結末を望んでいたみたいだと思い、最初がどこにあったのかを忘れている。狡猾《こうかつ》という言葉に、横面《よこつら》をはられたような気分だ。

信輝はパソコン画面へ視線を移した。長々と里奈の前にこの顔をさらしておくのは嫌だった。

脳裏で言葉を弄《ろう》してでもいなければ平常心を保つことができないことに、布団に入ってから気づいた。ひっそりとした家で、深い眠りを得ているのは純香ひとりのように思えた。暦の上では夏だというのに、どこからともなく入り込んだ夜気が喉を冷やす。夜中に何度も咳き込み、そのたびに純香の部屋で眠る里奈の気配を気にしていた。

翌日昼休みを利用して里奈を駅まで送った。後部座席でレタスはよく水を切ってから盛りつけるようにと話す里奈の言葉を、純香が繰り返す。別れ際に純香にだけ手を振る姿を見て、改めて信輝は昨夜の会話が現実だったことを思った。

九月に入った。街に秋の風が吹いて空が青みを増した。海は凪《な》いでいる。

伶子とのメールのやりとりが、以前より多くなっている。空模様や荒れた海、凪いだ海のこと、些細《ささい》な報告が往来する画面を見ていると、言い足りないものを残していることさえ華やかな心もちへと変化する。伶子からのメールも似たようなものだった。

『来週の金曜日、弟のお嫁さんが手がけたドラマが放送されます。二夜連続の前後編だそうです。お時間があったら、ご覧になってみてください　伶子』

『この街の九月は本当に気持ちがいいです。今日も明日も晴れ。少し風が冷たくなってきましたね。禁煙は続行中です。ドラマ、拝見します　林原』

お互い言い足りないことを楽しんでいるのならば、それはそれで幸福な時間なのだろう。

　喉に残る咳の芽はときどき信輝を悩ませたが煙草《たばこ》をやめるよいきっかけになった。退院してから一度も吸っていない。病気にこんな置き土産があるとは思わなかった。ふとこの機会に「楽屋」の灰皿を片付けようか、と考えた。同時に買い置きの煙草をどこに置いたか思いだそうとしているのが可笑《おか》しかった。

　執務室から眺める空が、青黒い。秋晴れはこんなにさびしいものだったろうか。生まれ育った道央のことを思いだそうとするが、たった二年半離れていただけでもうこの街の季節に馴染《なじ》み始めている。生まれ故郷の、なにを懐《なつ》かしむわけでもない。

　里奈からはその後一、二通メールが届いた。文面は信輝の体調と純香のことを案じている、と結ばれている。過去を静かに振り切ってゆく女の背中を、黙って想像することしかできなかった。

信輝は窓の外に広がる空と水平線を眺めながら、昨夜の純香とのやりとりを思いだした。食事が終わったあとのことだ。

「今日、里奈ちゃんとお電話でお話ししました。また温泉に行きたいと言ったら、里奈ちゃんがもうノブちゃんと純香と三人で温泉行ったりドライブしたりすることができないって言うんです。それは本当ですか」

信輝は「本当だ」と答えたきり、どう説明すれば妹に理解してもらえるか懸命に考えた。言葉を選んでいるうちにぽんぽんと純香から言葉が放られてくる。

「里奈ちゃん、ノブちゃんじゃない人と結婚するって言ってました。だからもう一緒に温泉にもドライブにも行けないんですか」

「そういうことだ」

「じゃあどうして、ノブちゃんと結婚しないんですか。ほかの人と結婚するからといって、三人で温泉もドライブも行けないのはおかしいです。里奈ちゃんは今までどおり里奈ちゃんです」

信輝は深くため息をつくことしかできなかった。温泉とドライブ、という具体的な言葉を使うことでしか苛立《いらだ》ちを表現できない妹に、男と女の何をどう伝えればいいのかわからない。三人で阿寒湖の温泉へ行った記憶が、純香の中では得がたく尊いものとして残っている。純香の動揺は、里奈をどれだけ困惑させただろう。

「ノブちゃんも里奈ちゃんも、ずるいです。黙り込んだり、泣いたりするのは、卑怯です」

「誰が泣いたんだ」

「里奈ちゃんです。ノブちゃんと結婚できなくてごめんなさいって。だからもう温泉にもドライブにも行けないって、申しわけないって、純香のことが心配だって。なんでですか、なんでこんなことになるんですか。純香が馬鹿《ばか》だからですか。馬鹿だからノブちゃんと里奈ちゃんは純香と一緒にいてくれないんですか」

「誰がおまえを馬鹿だと言ったんだ」

「みんな言ってます。純香は馬鹿なんです」

「言いなさい、みんなっていったい誰なんだ」

「みんなはみんなです。馬鹿にはなにをしたっていいんですか。嘘《うそ》をついたっていいんですか」

　純香の剣幕は食事を終えてから布団に入るまでのあいだ続いた。電話で話しながら泣いていたという里奈を思った。信輝の優柔不断さが純香の怒りをかったのだ。その事実からは逃れられなかった。

里奈とのことも、伶子からのメールひとつで浮き沈みする心もちも、同じ体の内側にある。気味が悪くなるほど青黒い空と、黒々とした水平線の境界に目を凝らしてみた。腑《ふ》に落ちることなどひとつもないように思えてくる。誰も自分の本音など語らずに済ませたいところを、ただひとり、純香だけが素直に自分の気持ちを言葉にする。思ったままを口にするのは以前と変わらぬが、そこに純香以外の人間の存在を感じる。里奈の存在が純香に与えてきたものの多さを思った。妹の世界に、祖母と兄以外の人間が棲《す》み始めたことを素直に喜べなかった。

ひとの心や不条理を、言葉で理解させるのは無理だ。里奈とのことを順序立てて説明したところで、納得するとも思えない。どう説明すればいいのかもわからなかった。空と海と秋色を帯びた木々を見ながら、朝からひとことも口をきかぬ妹のことを考えた。今夜もまた、あのだんまりとつき合うのだろうか。

午後八時を少し過ぎたころ、マンションに戻った。玄関も居間も明かりがついていない。ひとつひとつスイッチを入れながら部屋に入ると、パンダがすり寄ってきた。今夜のうちに目を通しておかねばならない書類をパソコンデスクにのせ、カーテンを閉めた。猫砂の入ったトイレを見る。掃除はまだのようだ。

書道教室のある日だった。ときどき秋津家で夕食をごちそうになることはあっても、純香の帰宅がこんなに遅くなることは稀《まれ》だ。台所の明かりを点《つ》けた。まだ秋津家に居るのだとしても、純香からも伶子からも連絡のないままということはないだろう。昨夜のことが尾を引いているのは信輝も同じだ。

信輝は茹《ゆ》でたうどんにレトルトカレーをかけた。パンダがじゃれついてくる。慌《あわ》ててパンダの茶碗《ちゃわん》にドライフードを入れた。

猫と一緒に夕食というのもなにやらわびしいと思いながら、携帯電話の画面を開く。伶子からのメールは入っていない。純香からの着信もなかった。ふと思い立って里奈の着信記録を表示したが、昨日からの純香の様子を報告したところでなにを得られるものでもないだろう。うどんをすする音が静かな部屋に響いた。

その日が純香の誕生日だったことに気づいたのは、更に一時間を経てからだった。

*

玄関で秋津に見送られ、純香は書道教室を後にした。一歩外にでると、秋のにおいがする。枯葉と潮風のにおいが混じり合った空気が街を包んでいた。

街路樹の梢《こずえ》を見上げると、その向こうに丸い月が浮かんでいる。月の穴だ――。

自分を馬鹿と言った人や嘘をついた人を、みんなみんなあの穴に放り込みたい。あの美しく空いた空の穴にむかって、すべて投げ込んでしまいたい。ノブちゃんも、スーパーのおじさんたちも、学校の先生も、秋津先生のところのおばあちゃんも。

――みんながびっくりするようなものを書いてくれたら、亡くなったおばあちゃんに会わせてあげる。

嘘つきばかりだ。

純香は暮れてゆく街に空いた遠い穴を見つめ続けた。

ちゃんと毎日約束を守っているのに、自分はどうして馬鹿と言われるんだろう。青信号を二度見送ったところで、ひとつ息を吐く。横断歩道を渡れば図書館がある。明かりもたくさんついている。いつものように絵本を読みながら兄を待ち、一緒に帰ろうか。

いや、と首を振った。里奈の言葉が頭の中をぐるりとひとまわりする。もう一緒に温泉にもドライブにも行けない。幼いころからずっと、ふたりで信輝の話をするのが好きだった。里奈も自分も、本当は信輝が大好きでたまらないのだ。大好きなくせに一緒にいられないというのは、おかしなことだ。

純香は、三人一緒ならばずっと幸せでいられることに信輝がまだ気づいていないのだと思った。信輝と里奈と純香の三人で、空を見たり海を見たりしながら、風を感じたり暖かかったり寒かったりする日々を歩いてゆくことが、どんなに幸福か気づいていない。

ノブちゃんは、暗いところばかり見ている。

祖母がいなくなる前の晩に話していたことを思いだした。

——純香、これから先お前にはずいぶんといろんなことがあるだろうけれど、誰も恨んじゃいけないよ。恨むのなら、このばあちゃんを恨みなさい。お前がこの世で天使のように生きてゆくことを祈った、ばあちゃんを恨むんだ。嫌なことがあったら、ばあちゃんに話しなさい。わたしが死んだら、信輝はきっとお前のことで喜んだり悲しんだりするだろうけどね、でもそれもこれもたぶん、信輝にとっては悪いことではないんだよ。お前はただ、そっと生きていなさい。あまり面倒をかけないように、言うことをきいて。でも、できるだけ、明るいほうを向いて歩いて行くんだよ。そして、ばあちゃん以外の人は、決して恨まないこと。

あの日は恨むという気持ちが、いったいどういうことなのかわからなかった。でも、もしかしたらと今は思っている。空の穴に、自分をこのような気持ちにしたすべての人を放り込んでしまいたい心のことではないのか。純香のことを馬鹿だと言った人たち、嗤《わら》った人たち、邪魔にした人たち、嘘をついた人たち。そしてなにより、そんな人間になにも言い返せずにいる純香自身を。

おばあちゃん、純香は誰より自分をいちばん恨んでいます。

闇《やみ》が深くなるにつれ、空の穴はいっそう輝きを増していた。横断歩道に踏みだした足を止め、坂の下を見た。オレンジ色の街灯が美しく並んでいる。黒い川面《かわも》と街灯と、西に広がる海の景色は今、どれほど美しいだろう。

純香は坂を下り始めた。初めてこの街にやって来たころ、信輝と喧嘩をした日に下りた坂道だ。夜明け前の寒さよりも、明けてゆく空の美しさに見とれていた。川面に咲いた花はなんという名だったろう。

蓮《はす》の葉氷。

そうだ。秋津先生は蓮の葉氷と言っていた。

これからまた、あの寒い季節がやってくる。風があの季節を連れてくる。

おばあちゃん。

坂道を下りながら、何度も祖母を呼んだ。祖母の声はどこからも聞こえてこない。まっすぐ部屋へ戻る気にもなれなかった。祖母を失ってから、なにを問うても満足な答えは返ってこなくなった。誰も自分の問いにまっすぐ応えてはくれなくなった。

坂道が終わり橋を渡り始めたとき、後ろから純香を呼ぶ声がした。

「純香先生、さっきから何をブツブツ言いながら歩いてるわけ。気持ち悪《わり》ぃの」

「よっちゃん、わたし、さっきから何かブツブツ言いながら歩いていましたか」

「ほら、俺の言ったことそのまんま繰り返す。やっぱり純香先生は足りないんだ」

「なにが足りないんですか」

「頭だよ。純香先生は脳みそがちょっと足りないんだ」

「脳みそがちょっと足りないのは、いけませんか」

「はっきり言って、馬鹿ってことじゃん」

純香は嘉史にかまわず橋の中ほどまで歩いた。

欄干に両手をあずけて川面を見た。川に映った街灯が、逆流する水面に揺れている。

両岸からオレンジ色の光を投げ合い、水にも風にも流されずに漂っている。嘉史が隣にやってきた。

「きれいですね。わたしはこの街の、この場所がいちばん好きです」

「俺はこの景色がきれいだなんて、生まれてから一度も思ったことないよ」

「よっちゃんの家はどこですか」

嘉史は坂の上を指さし「秋津先生の家の近く」と答えた。機嫌は悪そうだが、さっきまで純香を馬鹿にしていた口調とは違った。

「よっちゃんには、おばあちゃんがいますか」

「いねぇよ。うちの母さんは絵を描く邪魔だからってばあちゃんを捨てたんだ」

「おばあちゃんを捨てたって、どういうことですか」

「面倒みるのが嫌だから、縁を切ったって言ってた」

「面倒をみるのが嫌だと、縁を切ることができるんですか」

「そんなこと知るかよ。いい絵を描くためには親が邪魔なんだって言ってた。邪魔にするほどいいもん描いてんのかよって言ったら、泣いたりわめいたり。あいつ、あんまりうるさいから殺そうかと思ってる」

「あんまりうるさいと、殺さなくちゃいけませんか」

嘉史が一度大きく息を吸い「うるさいな、先生も」と吐き捨てた。純香は祖母を捨てるという言葉や、うるさければ殺すという嘉史の言葉が理解できず黙った。

欄干にもたれたまま、空を仰いだ。空の穴はますます大きくなっている。嘉史には放りたいものが多すぎて、あの大きな穴が見えないのかもしれない。

「よっちゃん、面倒なことはみんなお空の穴に放りましょう」

さびしさを川面に放る。どこからか祖母の声が聞こえてきた。

——純香、この世には仕方ないことっていうのがあるんだ。

なぁんだ、と心が軽くなる。そうか。仕方のないことがいっぱいになると、人を恨みたくなるのか。祖母の言うことは正しい。いつだって正しかった。

「よっちゃん、純香はいまとても嫌な気持ちですが、よっちゃんのこと、恨みません」

嘉史は純香を見下ろし、しばらくのあいだへらへらと笑い続けた。嫌な気持ちは続いているが、人のそのような部分には関わらないことを祖母は望んだのだと思った。

「恨みませんよ、誰も」

「馬鹿に恨まれたって、悔しくもなんともないよ。純香先生、もう最高におかしいよ、あんた。うちの母さんといい勝負だ。あの女も馬鹿なんだ。俺のこと天才だって。どこの世界に親に手伝ってもらった絵で賞をもらう天才がいるんだよ。もう、みんな馬鹿ばっかりだ。馬鹿だらけで嫌になる」

「よっちゃんは、馬鹿じゃないんですか」

嘉史の笑い声が止まった。背後を通り過ぎてゆく車が、さっきよりも多くなった。純香はまた、川面に揺れるオレンジ色の街灯を見た。埠頭《ふとう》の向こうに広がる海には、黒々とした墨のような夜があるばかりだ。潮のにおいを胸に溜《た》める。

本当にここから見る景色は美しい。純香はふと、里奈のことも信輝のことも好きでい続ければいいのではないかと思った。純香がどんなに不機嫌なときも、足にからまり寝床で甘えるパンダのように、好きでい続けさえすれば嫌な時間もそれほど長く続かないのではないか。

胸奥でぐるぐると渦を巻いていた嫌な思いが、静かに腹の底に落ちていった。街灯がオレンジ色を濃くして、夜に揺れ続けている。

「よっちゃんのおばあちゃんは、きっとよっちゃんやよっちゃんのお母さんのこと、恨んでいないと思います」

「そんなこと、わかるわけないだろう」

「いいえ、わかります。純香のおばあちゃんも、嫌なことといっぱいあったと思うんです。心配なことだらけで、泣きたいことといっぱいあったと思うんです。でも、誰も恨まずに生きていきなさいって教えてくれました。おばあちゃんって、みんな同じように優しくて心配いっぱいしてると思います」

「馬鹿の婆《ばば》ぁと一緒にすんなよ」

「よっちゃん、賢いひとは不満ばかりで面倒です。そんな毎日を送るくらいなら、純香はやっぱり馬鹿でいいです」

図書館の建物を見上げた。まだ煌々《こうこう》と明かりがついている。信輝には信輝の、いろいろな毎日がある。昨日のことを謝ったら、また楽しくご飯を食べられるだろうか。里奈もまた、いろいろな毎日を過ごしているのかもしれない。

パンダにご飯をあげなくちゃ。

純香は欄干から離れ、橋を戻り始めた。嘉史が純香の名を呼んだ。振り向き「さようなら」と手を振る。この街にやってきた日のように、図書館を目指して歩く。

「おばあちゃん」と声に出してみた。秋の海風がひとつ、橋の上を横切っていった。

純香は風に向かって兄の名を呼んだ。

12

斎場の化粧室で、伶子は鏡に映る自分の顔を見た。まるで能面だ。自分でもなにを考えているのかわからない。体の内側に感情を拒否する臓器があるようだ。きつく唇を閉じる。耳もふさぎたい、目も瞑《つむ》りたい、五感を閉じてしまいたい。

純香が河口で発見されてから、あまり眠っていなかった。ほとんど一睡もせず朝になることもある。林原には電話もメールもしていない。できるわけもなかった。純香の遺体を見つけたのは、川の潮位を記録しにやってきた気象台の職員だった。第一発見者のインタビューが何度かテレビに流れた。「あんまりきれいなので最初はマネキンかと思った」という言葉に嘘はないのだろう。

遺体安置室で見た純香の死に顔には、うっすらとした笑みが残っていた。

四日前、安置室へ案内された伶子が真っ先に目にしたのは林原の背中だった。泣くことを忘れた背中だ。林原もまた、己の内側にある感情を拒否しているように見えた。

彼の隣で、いつか病室で見た女がうずくまっていた。

純香を橋から突き落としたのは、秋津の書道教室に通っている澤井嘉史だった。テレビも本名を伏せ、新聞も「少年A」としか表記していないのに、この街の人々はもう誰が犯人かを知っている。

『加害者は同じ書道教室に通っていた少年A』

死亡推定時刻にふたりが橋の上にいたという証言が二件寄せられたことから、すぐに澤井嘉史の名前が浮上したと聞いた。断続的に耳に入ってくる話や新聞記事を組み合わせれば、捜査員が訪ねたとき嘉史は母親のアトリエで絵筆を持っており、遺体が発見されたことを告げるとあっさりと犯行を認めたという。

書道教室は一か月間、あるいはもう少し長く休まざるを得なくなった。このまま筆さえ持てなくなるのではと思うほど、秋津の動揺は激しかった。玄関の戸に「教室の休講」と「取材お断り」と張り紙をしたが、それでも日に何度も呼び鈴と電話が鳴り続けた。

伶子は色を抑えた口紅を薄くひいて、化粧室をでた。腕の時計を見る。六時四十分。通夜《つや》は七時からだ。秋津は先に会場に入った。化粧室に寄ると言って秋津と離れたのは、ふたり一緒に林原の視界に入ることに耐えられなかったからだ。自分がどんな顔をしているのか確かめたものの、睡眠不足による年相応の疲れが見える目元も感情を持ち上げられない頬も、つくりものめいていて薄気味悪い。

今夜この斎場で通夜をするのは「林原家」のみだった。ロビーで弔問客の受付をしているのは、いつか図書館で見た職員だ。

会場からひとりの女がでてきた。今にもよろけそうな足取りでロビーに現れ、歩みを止めた。視線が伶子に向けられる。林原の病室で会った女だった。彼女は一度止めた足を今度は伶子の方へと向けた。伶子は深く頭を下げた。女のつま先が止まったところで、顔を上げる。泣き腫《は》らした目をしている。このたびは、の先が続かない。黒いワンピース姿の前で、伶子は目を伏せた。ロビーに人の通りが増え始めた。会場から漏れてくる静かな曲に、人のざわめきが混じる。

「どうぞ、純香ちゃんに会ってやってください。奥様はとても優しいと、いつも嬉《うれ》しそうに話しておりました」

胸元で数珠《じゅず》を握りしめた彼女と目が合う。腫れたまぶたの奥に、怒りは見えなかった。泣くことに疲れた気配が漂ってくる。一礼して、会場に入った。

大きな会場ではなかった。椅子《いす》は百席に満たない。低く流れているのは『アヴェ・

マリア』だった。伶子の背後から、彼女が声をかけてくる。

「純香ちゃん、おばあちゃんの祭壇が菊の花に囲まれているのをとても嫌がったんです。美しくないって。だから菊は一本も入れませんでした」

何層もの生花が遺影と棺《ひつぎ》を囲んでいた。甘い香りしかしないのは、焼香台がないせいだ。この通夜には、読経《どきょう》がない。僧侶《そうりょ》が現れる様子もなかった。花も読経も、祖母の葬儀で純香本人が嫌がったことだという。参列者は思い思いの生花を一本ずつ棺の上にのせては手を合わせて席に着く。

純香の遺影は斜め上に視線を放り、その瞳《ひとみ》にはなにも映っていないように見えた。いったいなにを見ているのか、遺影を見上げた者の心をかき乱し、不安にするほどの無表情だ。

ひまわり、カサブランカ、カーネーション、ガーベラ、バラ、かすみ草、大小の蘭《らん》。親族席の向こう、花の陰に隠れるようにして、林原が立っていた。体ひとつぶん離れて秋津がいる。林原は姿勢を正して、宙を見ていた。遺影の中の純香と、同じものを見ているのではと錯覚しそうになる。

秋津はうなだれて肩や背を震わせている。まるで様子の違う男たちを前にしているというのに、どちらも泣いているようにしか見えない。伶子は悼《いた》みながら、夫の嘆きようを不思議に思った。人前でこんなふうに心情を露《あら》わにする男だったろうか。

秋津は純香を家まで送らなかったことを悔いていると言っていた。なぜ幼いころから指導している生徒がそんな行動に走ったのか、秋津にも伶子にもわからない。捜査員からは、ふたり暮らしだったという母親にすら、息子の心の暗い場所が見えていなかったと聞いた。母親は泣き叫ぶばかりで、被害者の遺族に謝罪をできるような状態ではないという。

精いっぱい心を持ち上げた。男たちの方へと歩きながらバッグからハンカチを取りだす。あと二歩で秋津に手が届くところで立ち止まった。林原の視線が伶子に向けられた。妹を失った男の顔を、まっすぐに見ることができなかった。

伶子は林原に黙礼して、背を丸めて泣いている夫にハンカチを差しだした。受け取った夫の腕に手を添えて席へ促す。伶子は後方の端の席に秋津を座らせた。人目につくところは避けたい。秋津の背を見た参列者が指を差す場所に、夫を座らせるわけにはいかなかった。

七時ちょうどに、通夜が始まった。仕切りは斎場の係のようだ。『アヴェ・マリア』が消える。

「ご参列のみなさま、黙禱《もくとう》をお願いいたします」

伶子は目を瞑った。追悼の儀は今夜で終わり、明日は早くに身内の人間だけで火葬場へ向かうという。身内の席にいるのは林原と、純香の姉代わりという彼女のふたりだった。

黙禱が終わった。

林原がマイクの前に立つ。ひとつ呼吸をしたあと、図書館長の顔になった。儀礼的な挨拶《あいさつ》のあと、林原の言葉が途切れた。下を向いていた参列者の顔がまばらに持ち上がる。

「年齢が離れていることもあって、妹と一緒に過ごした時間は少なかったと思います。昨年はわたしたち兄妹を育ててくれた祖母を亡《な》くしました。祖母のたったひとつの心残りだった純香を亡くしてみて、なにか、祖母の心配が妹を連れて行ってしまったのではないかと、そんなふうに思っています。残された側は、まだなんの心の整理もできておりません。もしもこのたびの別れが、妹が亡くなった日が彼女の二十六の誕生日だったことに、気づかずにいた兄への罰ならば、これから静かに償ってゆきたいと思っております」

会場が一瞬水を打ち、再び『アヴェ・マリア』が流れ始めた。

一礼して席に戻った林原の肩を見つめた。伶子の横には、身内よりも憔悴《しょうすい》して見える秋津がいる。このおかしな反転はなんだろう。思い浮かべることがらが、たちまち砂になって、体の外へと流れ出してゆく。秋津はまだ嗚咽《おえつ》していた。自分の夫が見知らぬ男に思えてくる。伶子自身もまた、見知らぬ女の容《い》れものに納められているようだった。

秋津は葬儀会場から戻る車の中でも、ひとことも口をきかなかった。静かで寄る辺のない時間が通り過ぎてゆく。目の前にあることを淡々と終えるばかりの毎日で、伶子の心のおおかたを占めているのは林原だった。彼の身に起こった一年間のできごとを、他人の伶子が振り返っている。

家に戻った伶子と秋津を待っていたのは、介護部屋にまき散らされた姑《しゅうとめ》の汚物だった。出がけに秋津が純香の葬儀に行ってくると言い含めたはずだが、ふたりで出掛けたことが気に入らなかったらしい。外して床に放られた紙おむつから、汚物が転がり落ちていた。姑は歌謡番組が流れる画面を見ながら、何食わぬ顔でテレビのリモコンを握っている。

片付けようとした伶子を制して、秋津がビニール手袋をはめ、絨毯《じゅうたん》の上に転がるものを拾い始めた。介護部屋の戸が閉まる。建て付けの悪い窓を開く音がした。伶子も台所の窓を開け、換気扇を回して部屋にこもる臭《にお》いを追いだす。誰も、ひとことも話さない。しわぶきや床板のきしみ、水の音も、テレビから流れてくる音楽にかき消された。

風呂《ふろ》上がり、秋津は「階下《した》で寝る」とひとこと告げて介護部屋の戸を閉めた。お互いに眠れぬ夜ならば、そのほうがいいだろう。

ここ数日間の夫の取り乱しかたを見ていて、気づいたことがある。秋津は純香が愛《いと》しかったのではないか。捻《ねじ》れ続ける心を解《ほど》くために必要な涙もあるのだろう。

伶子が自分には嫉妬《しっと》心やあるべき感情のうねりが欠落していると気づいたのは、秋津に出会う前だった。この薄い感情はいつの間に身についたのか。情など生まれつき持っていなかったのかもしれない。乱れたのはたった一度、図書館を訪ねた五月のことだった。

あの日、泣く場所を求めて林原を呼んだ。

病院で触れた手に林原の気持ちを感じ取り、戸惑いを楽しむ余裕があった。増えたメールのやりとりと、何気ない会話と、日々の移ろい。交わし合うものはそれだけで充分だった気がする。

純香の死が誰にどんな報いを連れてくるのか。伶子には予感がある。みな、結末を欲し始めた。林原とのあいだに、男女でも親子でも、姉弟でもない不思議な思いを持てあましていたのは、伶子も同じだ。林原兄妹と関わった時間は、このあとどこへ流れてゆくのだろう。どんな結末だろうと、流れてゆかねばならない。

会議の資料を読み終えると、すでに午後十一時を回っていた。眠くはないが、疲れている。体を休める理由があるのはありがたかった。伶子には外の仕事があり、毎日良くも悪くも時が過ぎてゆく。けれど、今の秋津にはそれがない。

横になった。昨日の疲れが一週間前の疲れを呼び、長いこと休んでいなかったような気分になる。明日のことを前向きに考えることができない。気づけばいつも、林原がどんな思いを抱いて過ごしているのか、伶子はそればかり考えていた。彼の傍らにいる女のことは考えなかった。良くない兆候だ、と戒める。けれどわかる。自分はいつか夫のことも、林原の生活も、ふたりを取り巻くあれもこれも、なにも考えられなくなる。そして、静かな時間が終わる。貪欲《どんよく》に結末を欲してしまう。そしてなにか大切なものを失う。林原のように。

充電器から携帯電話を抜いた。事件当日に林原から届いたメールを開く。

『純香が戻らないのですが、まだそちらでしょうか。携帯電話を持たせているのですが、でないのです。お忙しいところ、すみません　林原』

あの日純香は教室が終わったあとまっすぐに家に戻ったはずだった。メールが届いてすぐに、伶子から電話をかけた。捜索願を出すことに決めたのが午後九時半。対応した係は、二十代半ばにもなる女が九時を過ぎて家に戻らないくらいでなにを慌てているのか、という態度だったが、林原のひとことで表情を変えた。

「妹は、ひとりで暮らすことができません。二十代の人間の正常な判断力がないんです。お願いします」

机の引き出しに入れてあった文庫本を手に取る。映画で観《み》た砂漠の景色が蘇《よみがえ》る。古い文庫本の、綴《と》じのあまい中ほどのページが開く。読むともなく、文字に視線を落とした。

『彼女は予期したよりも悪いことが起きはしまいかと、そのための心の準備をととのえようとしていた』

自分の場合、と伶子は考える。悪いことはもうすべて起きてしまっているのではないか。そしてひとつひとつが順番待ちをしながら、伶子や秋津、林原といったそれぞれの視界に入るのを待っている。ならば、最後の最後に砂漠で迷うのは、伶子自身かもしれない。

街路樹の葉が風に運ばれて、窓ガラスを滑っていった。季節が変わる際に毎年訪れる秋の音だった。

翌日の夜、小樽の母から電話があった。洗い物を終えたところだった。急いで子機を持って二階へ上がる。階段を上がりながら、携帯にはかけてくれるなと言ってあることは正解だろうと思う。母は「どのみち仕事中は取ることができないから」という伶子の言葉を信じている。携帯でもいいと言えば、母は遠慮なく秋津がそばにいない時間帯を選んでかけてくる。伶子にとっては大きな負担だ。

秋津は元気かと問われ、元気だと応《こた》えた。

「元気なら少しは外で働けばいいのにねぇ」

娘との会話でまず先手を打つのは昔からの癖だ。相手を弱らせてから本題に入る。わかっているのに元気だと応えてしまう娘も娘だろう。

「このあいだ女の人が橋から突き落とされた事件、犯人が教室の生徒さんだったって本当なの」

「誰から聞いたの」

「公恵さんよ。テレビ局って流す流さないにかかわらず、ずいぶんと詳しい情報が集まるらしいの。このあいだ、彼女が担当したドラマを見て感想を書いて送ったら、やけに優しくなってねぇ。さっき電話で一時間も話してて、そのときに聞いたんだよ」

「康志とはうまく行ってるのね」

「お正月はふたりでハワイへ行くんですって。ドラマが映像芸術祭に出品されるお祝いだそうよ。若いと修復も早くて羨《うらや》ましいわ。わたしも誘われたんだけど、お父さんがやめておけって」

息子夫婦の海外旅行に便乗できない母は、父への不満をひとつふたつ語ったあと、事件のことを訊《たず》ねた。面倒がらずに答えるが、新聞で報道されている程度の情報しか得られないことが不服のようだ。

「あんたはどうしていつもそんなに木で鼻をくくったような言い方しかできないわけ。愛想を良くしろとは言わないけれど、義理の姉がそんなんだから弟のお嫁さんが気を遣うんじゃゃないの」

どうやら公恵はもうしばらく弟と一緒にいることに決めたらしい。母も上手に懐柔されているようだ。木で鼻をくくった、と言われてなるほどと思う。母をこんな不満だらけの女にした原因は、娘の自分にもあったのだ。そう思うと、少しばかり弱音を吐いてみせてもいいような気がした。伶子はぽつりと書道教室を閉めていることを告げた。いつものように帰ってこいと言うかと思ったが、違った。

「おまえがそばにいないと、気の毒なことになるねぇ。どこまで女房の稼ぎを頼りにするのか、考えているると腹も立つんだけど」

もう好きにしなさい、と母が言う。ずっと好きにしてきた、と思う。

「それで、この先教室が開けなかったら、秋津さんはどうするつもりなの」

「そのときはそのときで考えるしかないでしょう。今と同じ状況が続くわけでもないし。本人にやる気がなくなれば別だけれど」

伶子にできることは、変わらないことだった。せめて表面だけでも、変わらぬ毎日を過ごし続けるしかない。今はそういうときだ。

電話を切ったあと、子機をベッドの上に放った。バッグに入れっぱなしだった携帯電話を取り出し、画面を開く。林原からのメールはきていない。こちらから送ることなどできるわけもない。伶子は静かに彼の日常が戻るのを待つつもりでいるが、その毎日はひどく長く感じるのだろう。

昨夜、斎場から戻ったときは不機嫌だった姑も、伶子が仕事から帰ってくるころには機嫌を取り戻していた。秋津が一日中丁寧に母親の身の回りの世話をしていたことを、洗濯物のたたみかたひとつで想像できるようになった。

この生活がいつまで続くのかわからないが、季節の変わり目に霧がなくなるようにいつか消える、消えてしまうのだと思う。

階下で教室の戸を開ける音がした。子機を持って立ち上がる。階段のきしみを無意識に数えながら下りた。教室の明かりがついている。秋津が戸口に背を向けて書道用具の入った戸棚を開けていた。

「龍さん」声をかけてみる。振り向いた夫の顔を蛍光灯の明かりが照らし、より深い疲れを伝えている。

「電話、小樽のお義母《かあ》さんからだったのかい」

「うん。元気でやってるかって」

「向こうは、どうなの」

「元気そう。康志のところも落ち着いたみたい。お正月はふたりでハワイに行くんだって。このあいだの番組、評判良かったらしいの」

秋津は「そうか」と言って再び伶子に背を向けた。

「なにか、探しものなの」

「石だよ。雅印用の、大きめの石」

ようやく箱が見つかったらしい。秋津が耳の高さの棚から重箱大の菓子缶を引きだした。生徒用の机の上で缶の蓋《ふた》を開ける。伶子も教室の中へ入った。そばに寄って秋津の手元を見る。缶の中には一センチ角から五センチ、大きなものでは手のひら大の四角柱が並べられていた。ボール紙で仕切られた隅には卵を真二つに割ったようなかたちのものや道ばたに転がっていそうな石がある。それぞれに石の種類を書いた紙が貼《は》ってあった。

秋津が最初に手にしたのは、薄い緑色をした五センチ角の石だった。

「これだと、硬すぎるかな。しばらく彫ってないし、どうだろう」

一面ごと石の癖を確かめるように眺めている。ぽつぽつと放つ言葉は、伶子に問いかけているようにも独り言のようにも聞こえた。夫の心の在処《ありか》がわからなかった。石をひとつひとつ取りだしては缶に戻している。伶子は黙って秋津の手元を眺めた。

「あぁ、このくらい大きくてもいいかもしれないな」

手のひら大の白い石を机にのせる。伶子はそのあとに続いた言葉に耳を疑った。

「純香さんが、喜びそうだ」

「龍さん」

思わず夫の名を呼んだ。秋津は伶子を見なかった。どこかのんびりとした口調だがその声は低い。つよい意思を溜めた声で、秋津が言う。

「大丈夫、僕は参ってないよ。昨日は取り乱してごめん。恥ずかしかったろう。悪かったね」

かける言葉が見つからない。秋津は白い石を机の上に置いたまま、缶の蓋を閉めた。

「これで案外デリケートなものでね。保存状態でずいぶんと彫っているときの感触も違うんだ」

なにを彫るのかと問うた。秋津がうっすらとした笑みを浮かべる。

「自分の雅印だ。純香さんにひとつ彫ってあげようと思っていたけど、もういないから」

伶子は「そう」と短く応え、教室からでようと体の向きを変えた。「ねぇ、伶子」秋津が呼び止める。歩きだせずにいる伶子の背中を、柔らかな夫の声が追う。

「今年も、出品しようと思う。しばらく教室もお休みするし、集中してがんばってみるよ。僕にできることなんて、それだけだから」

「うん、わかった」

秋津が純香の死を乗り越える、唯一《ゆいいつ》の方法なのだろう。教室に漂う濃い墨のにおいを肺に溜めた。静かに吐きだす。心の奥にあるのは安堵《あんど》だった。嫉妬心を持たないことが、これほどかなしいことだとは思わなかった。自分には人としての何か大切なものが欠落している。こうしているうちにも少しずつ日常が戻ってくる。それすらも、今はかなしい。

「君には、面倒のかけっぱなしだ。母のことも、生活のことも。小樽のご両親には、すまないと思ってる」

「そういう話、しないって約束したでしょう」

「うん。でも正直なところ、ときどき言って楽になりたいと思うときもあるんだ。今日だけ、許してくれよ」

伶子は振り向かずに教室をでた。

澤井嘉史は、家庭裁判所の観護措置で少年鑑別所にいると聞いた。母親が開いている絵画教室は閉められ、誰が訪ねても中からの応答はないという。母親は入院している。離婚した父親が息子の引き取りを拒否しているとなれば、嘉史が戻る場所はない。回覧板と一緒に通り過ぎてゆく噂《うわさ》話は、どれも秋津に同情的だったが、場所が変われば違う面から自分たちの様子も語られ尽くしているのだろう。

十月の初め、校舎の周りも緑が薄れ黄色や茶褐色ばかりになってきた。文化祭も終わり、校内も少し静かになった。昼休み、保健室の常連生徒たちが代わる代わる訪れ、就職試験の面接の練習をしている。校舎を取り囲む白樺《しらかば》の木も黄色い葉を落とし始めた。

こんな樹《き》で校舎の周りを囲むなんて、と言ったのは生物の女教師だった。いち早く緑の葉を茂らせる樹は、成長が速いが数十年で枯れるという。伶子は彼女の言葉を思いだした。

「白樺ってのは、強い陽光のもとで育つけれど、成長が速いぶん寿命が短くてね。その場に種子を落として自分で林を作るんだけど、そのせいで地面に光が当たらなくなるの。ブナみたいにどんな日陰でも育つ陰樹と違って、子孫が育たないんだな。学校の周りに植えるような樹じゃないですよ」

研究に戻りたいといって、西高校を退職し大学院へ進んだ。人よりも樹が好きだという彼女は、どうしているだろう。

寿命という言葉で、再び純香の遺影が眼裏《まなうら》を過《よ》ぎった。純香のことを、一日に何度か思いだす。同時に林原のことも考える。そのふたつが離れることはなく、いつも同じ速度で伶子の胸をかすめてゆく。

林原からのメールが届いたのは、生徒たちが午後の授業へ戻ってからすぐのことだった。伶子は送信者を見て開こうか開くまいか、いっとき迷った。心の準備というと大げさだが、そうとしか言いようがない。

慎重にメールを開く。胸に溜まっていたものが唇や指先から抜けてゆくのがわかった。

『たいへんご無沙汰《ぶさた》してすみません、林原です。ご心配をおかけしておりましたが、少しずつ仕事の遅れを取り戻しながら過ごしています。生活は、すこし落ち着きました。僕は元気です。何度もご連絡しようと思ったのですが、今日になってしまいました。伶子さんもお変わりなければいいなと思いつつ。いつの間にか寒くなりました。どうかお体に気をつけて　林原』

乱れのない文章から心の内を探す。どこにも「純香」の文字がなかった。気管をきつく摑《つか》まれたような苦しさのなか「伶子さん」と打つ際の、男の気持ちに反応している。四度目に読み返した際「僕は元気です」の文字が浮き上がって見えた。

返信しなくてはと思ったのは、仕事を終えて駐車場に停めた車に乗ってからだった。フロントガラスに貼りついた白樺の葉をワイパーで払うと、梢の先に星が瞬《またた》いているのが見えた。初めて林原に会ったのも、純香がこの街にやってきたのも、去年の今ごろだった。秋津が図書館で個展を開いた日が、たった一年前のことだとは思えなかった。

伶子は、見知らぬ街にいるような心許《こころもと》なさのなか林原のことを考えている。バッグから携帯電話を取りだし、もう一度昼間届いたメールを読み返す。迷いながら返信を打ち込んだ。

『お久しぶりです。寒くなってきましたね。咳《せき》はもうおさまりましたか』

指先がはたと止まった。思いが林原の輪郭を追うばかりで、そこから先が続かない。目を閉じれば、映画の中で観た茫々《ぼうぼう》とした砂漠の景色が現れ消える。伶子は書きかけのメールを消して画面を閉じた。キーを差し込みエンジンをかけると、バッグに放った携帯電話が震えだした。林原からだった。

通話ボタンを押すまでのあいだ、罪悪感を伴う喜び、戸惑いや恐れが胸になだれ込んできた。

「林原です」

声の朗らかさに違和感があるのは、伶子がそのように聞きたいせいだろう。林原が、もう立ち直ったことを主張しているように感じるのも同じことだ。どちらにせよ、電話をかけるほうも受けるほうもなにがしかの無理をしている。無理を通してでも聞きたい声がある。

「メールありがとうございます。咳はまだ続いていますか」

「夜中にときどき咳き込むくらいで、かなり落ち着きました。ご心配をおかけしてすみません」

「気管支は、回復に時間がかかりますから」

伶子のほうはもう会話が続かなくなっている。ひと呼吸間を置いて林原が言った。

「家庭裁判所から、通知がきました」

「通知ですか」

「ええ、希望すれば加害者の状況や審判の結果を知ることができて、発言権もあるそうです。被害にあわれた方へと書かれていました」

希望したのかどうか訊ねると「いいえ」と返ってきた。

「ただ、家裁調査官や後見人の弁護士が彼の家庭事情や学校生活について調査しているので、秋津先生やあなたにご迷惑がかかっていないかどうか、それが気になってました」

林原の口調に少しのねじれも卑屈さも混じっていないことが、いっそう伶子を戸惑わせている。彼の心配には「うちのことは大丈夫」と応えるしかなかった。

「パンダちゃんは、元気ですか」

林原は「ええ」と答えたあと、数秒黙り「いや」とひるがえした。

「純香を探すんです、毎日。僕はなかなか飼い主になれずにいます。出張のときはスタッフに世話を頼むんですが、親と同居している人がほとんどで、毎回はなかなか。

近所にペットホテルを探しているところです」

それなら――、伶子は自分の口をついてでた言葉に嫌悪《けんお》する。

林原が純香を失ったのは、そもそも自分たち夫婦が原因だったのだ。安易に自宅へ誘い、澤井嘉史と知り合うきっかけを作ってしまった。軽率な親切心がどんな波紋を広げるのか、自分はこれほどの事件が起こっているというのにまだわかっていない。視野が狭くなっている。自分のこと以外なにも考えられなくなる。猫一匹で林原と繫《つな》がろうとするあさましさをつよく戒めた。

同じ本を読むように同じ思いを旅していると気づいた。林原の逡巡《しゅんじゅん》を感じ取る。彼のひとことは曲がりくねったあとに現れる、一本のまっすぐな道を想像させた。

「甘えてもいいんでしょうか。来週から一週間札幌本社に出張があって、空き時間を利用して祖母の家を見てこようと思うんです。今後誰も住む予定のない古い家で、土地の買い手がつけばいずれ取り壊さなければならないので」

「ご都合のよろしいときに、迎えに行きます」

どんな理由があったとしても、林原と秋津を会わせたくなかった。葬儀のあとはよりつよくそんな思いをもつようになった。誰に対する気遣いでもない。葬儀からは、伶子自身がふたりを同時に視界に入れることに抵抗がある。

「図書館のお仕事、時期的にもお忙しいんでしょうね」

「まぁ、館内館外問わず、僕の仕事自体が雑用係みたいなものですから」

新聞報道では、被害者の兄が図書館長であることは伏せられていた。すでに加害者の少年は犯行を認めており、家裁に送致されている。観護措置により鑑別所で調査中ということも、週刊誌記者の気勢を削《そ》いだようだ。ただ、図書館長という立場が果たして本当に彼を守っているのかどうか、伶子の思いはそこで立ち止まる。

「猫ちゃんのことは、いつでもご連絡ください」

頭の奥が痺《しび》れていた。通話を終えてもしばらくのあいだ、携帯電話を手にしたまま動けずにいた。少しずつ焦点が合ってゆく視界に、白樺の幹が等間隔に並んでいる。

一枚二枚と、葉が落ちてくる。一枚は風に舞い上がり、一枚はフロントガラスの隅に貼りついたままだ。伶子は駐車場からでて、アクセルを踏み込んだ。葉が吹き飛ぶ。痺れは頭から喉《のど》を通り鎖骨のくぼみに溜まったあと胸の先に集まってきた。引き返せない。腹の奥底から、身もだえしたくなるほどの嫌悪が浮かんでくる。

林原も自分も、純香を失ったことで心にあったはずの重たい枷《かせ》をなくしてしまったのかもしれない。この一年間、交わし合っていたメールを思いだす。

林原は、純香から解放された。伶子の内側にも、林原を捉《とら》えて離さない罪悪感が生まれた。

夜中、君島沙奈から久しぶりのメールが入った。校内の噂で伶子が置かれた状況を知っているはずだが、彼女からのメールはひとことも純香について触れなかった。

「つまんない話なんだけどさ」で始まるメールは、いっとき伶子を笑わせ、この春に彼女に起こった出来事を思いださせた。かなしみが、別のかなしみで癒《い》えることもあるのだと、沙奈からのメールで知った。

『兄が成績不振で来春の浪人確定。親も本人も泣いてる。期待に応えられなくて情けないんだって。その程度で死にたいって、バカだと思わない？　茶番家族全開って感じです。子供のためとか親のためとか、そういう言葉でなにから逃げたいのかわからない。こっちにしてみりゃ、ふざけるなって感じ。夜中にゴメンね　沙奈』

なにから逃げたいのかわからないのは、伶子も同じだ。沙奈は大学のランクを多少落としても、確実に自分の行きたい方向へ歩いてゆくだろう。壮大な夢ばかり語らないことを、本人は「中長期計画」という。まず大学に受かり、自分がいちばん納得できるかたちで家を出る。ひとりで生きてゆくための、多少の軌道修正はあるだろうと覚悟している。それでも、最終的にたどり着きたい場所からは視線を外さない。伶子はそれが沙奈のつよさだと思っている。十六の少女は自分の意図しないところで四十女を救っていることを知らない。

『茶番家族か。耳が痛いな。いい年してわたしもふらふらしてる。沙奈には敵《かな》わない。風邪ひかないようにね　伶子』

『伶子先生がふらふらって、もしかして男？　いいね。いつもどおり涼しい顔をしながら適当に傷ついてください。楽しみにしてます　沙奈』

適当に傷つけとは沙奈らしい。伶子は眠るまでの時間、どうすればいちばんいい傷になるか考えた。できるだけ深傷《ふかで》がいいだろう。それが生きることへの礼儀のようにも思えた。純香はいない。この先の道は、当然のように軌道修正されてゆく。

猫を迎えに林原の部屋を訪ねた日は、朝から雨だった。晩秋はひと雨ごとに気温が下がっている。夏よりも高い場所にある雲から、小粒の雨が加速をつけて連なり落ちてくる。伶子はマンションの呼び鈴を押した。林原がドアを開けた。

玄関に立つ彼の足下に猫用バスケットがある。ここで引き返せば、今までと同じ日々が続くだろう。いや、より遠くなるかもしれない。伶子が玄関にしゃがみ込みバスケットを覗《のぞ》くと、パンダが細い声で鳴いた。林原を見上げる。

「パンダちゃん、元気そうですね」

「すみません、図々《ずうずう》しいことをお願いしてしまって」

「いいえ、わたしにできることなら」

キャットフードやトイレなど、一週間預かるとなればけっこうな荷物だった。二度に分けて車に運ぶか、ふたりで積み込まねばならない。雨の音が部屋の中まで聞こえてくる。

林原はストライプの綿シャツにコットンパンツ姿だ。伶子も休日用のジーンズとシャツに薄いキルティングのパーカーを着ている。それでも朝、あるかなきかのいいわけを自分に許して下着を替えた。脱衣かごに入れた下着は、姑の寝間着と一緒に秋津が洗う。なにも思わないことも「適当な傷」のひとつかもしれない。毎日同じことが繰り返されている。なにひとつ変わらない。

「お急ぎですか」

伶子は曖昧《あいまい》に応えた。

「お茶でよかったら。いかがですか」

誘われてから、車のエンジンを切ってきたことを恥じている。これも傷、とやり過ごす。

林原の住まいを訪ねたのは、七月に熱のある彼を迎えにきて以来だった。部屋はあのころより整理され片付いているように見えた。視界に純香の存在を思いださせるものがない。パソコンデスクの上に、書類の束と保険会社の封筒が置かれていた。

「事務仕事ってのは、次々と湧《わ》いてくるからいいのかもしれません。感情を挟み込む余地のない時間は貴重です」

書類の束の向こうは雨の景色だ。窓から見下ろせる場所に幣舞橋があった。高台に建つマンションからは、図書館と同じ景色が見える。あの橋の中ほどから、純香は突き落とされたのだった。妹が消えた場所を毎日眺めながら生活し、仕事をする男の心の中を、想像することができない。林原は原因の一端にいる秋津と伶子を責めることもしなかった。だからこそ、その穏やかさが苦しいのだと告げられずにいる。

「紅茶くらいしかないんです、すみません」

「ありがとうございます」

昨夜秋津には「せめて猫を預かろうと思うんです」と伝えてあった。あとから考えれば、狡猾《こうかつ》な言葉だった。あんな言い方では、秋津は「うん」と応えるしかない。

ボーンチャイナの白いカップがテーブルの上に置かれた。林原は三日分の厚みがある新聞を床に下ろし、テーブルを挟んで腰を下ろした。

「秋津先生にもあなたにも、迷惑のかけ通しです。申しわけありません」

　さばさばとして乾ききった声だ。林原が秋津の様子を見たらどう思うだろう。身内よりずっと痛手を受けているように見える夫を、伶子も理解できずにいる。秋津に引きずられ、ふとした瞬間に空洞のようなものは広がってゆくのだが、それを悲しみや悼みとして受けいれることができないのだ。

「教室、お休みしていると伺いました」

　ええ、と応える。林原は「申しわけない」と言って頭を下げた。伶子は首を横に振る。

「今年も、公募展に応募するそうです。彼のことは心配ありません」

　あなたのほうが気がかりなのだとは言いだせない。林原はずっと泣かずに過ごしているのではないかと思った。紅茶のカップに伸ばす指先が美しかった。事務仕事をする手。ペンを握る手。病院で伶子のそれに重ねられた手だった。

「咳はもう、でませんか」

「はい。忘れたころにちょっと。その程度です」

　なにごともなかったように振る舞うのは周囲に対する気遣いと、彼自身がまっすぐ立っているための手段に思えた。ならば、と伶子は自分を振り返る。こうして何食わぬ顔で男の部屋に上がり込む、自分こそ純香の死を喜んでいる。

これ以上林原の感情を推しはかることはできない。紅茶を飲んだ。

「実感」と言ったきり林原が言葉を切った。カップを持ったまま、彼の言葉を待った。

十数秒、テーブルの上で組まれた男の指先を見ていた。

「実感というのが、ないんですよ」

「実感、ですか」

「ええ。純香がいなくなったという、はっきりとした実感です。お悔やみを言われればそれなりに応えるんですが、なにか人ごとのように感じてしまう。遺体の確認もして、骨も拾ったというのに。喧嘩《けんか》したまま実家に帰ってしまったような感じしか持てない。おかしな感覚です」

「無理に、実感しなくてはいけないでしょうか」

「これが自分を守る方法だっていうことには気づいてます。たぶん、狡《ずる》いんでしょう」

怜子は男の指先から視線を外した。だって、と林原が言う。

「あんまり現実に耐えられるようには出来ていないってこと、よくわかってるのかもしれない。かなしいふりは楽だけれど、そうすると僕なんかは、簡単に自分の気持ちに酔ってしまうと思うんです」

つくづく面倒な性分です、と笑う。比較するどんな理由もないのに、秋津の憔悴ぶりを思いだしてしまう。ふたりの男を比べてしまうのは、伶子にとってたったひとつ残された罪悪感からの逃げ道だ。

玄関に置いたままになっているバスケットから鳴き声が聞こえてくる。もう帰れ、という合図のように思えた。伶子は心の内から目を逸《そ》らし、テーブルに手をついて立ち上がりかけた。男が手を伸ばし、止める。冷たい手が重なり合う。病院での数秒が繰り返される。

彼の目を見た。澄んだ瞳は純香の遺影と同じで、なにも見ていないようだった。現実も、今日も明日も、自身すら見ていない。視線は合っているのに伶子さえも見えていない。

伶子は昨日よりもずっと、この男がいとおしく思えてきた。

重ねられた手の甲に、さらにもう一方の手を重ねる。男が先に立ち上がった。一歩踏み出した彼の胸に滑り込んだ。整髪料のにおい。耳たぶに甘い香り。首筋に冷たい唇が触れる。伶子もうなじに唇を返した。

肌と同時に重ね合ったのは、加速をつけて堕《お》ちてゆこうとする心だ。伶子は男の体を滑り続けた。ふたりとも無言だ。もう解き放たれたのだと思う傍らで、このひととときですべてが終わってしまいそうな気がする。

重たいかなしみの上にある快楽には、いつか同じだけの罰が下るだろう。

伶子の体に埋もれる林原の深い傷口に触れる。

冷たい芯《しん》は、女の中にあってすこしも温まらない。

取り返しのつかないことをしているという思いを、快楽にすり替える。

もう、自分をも騙《だま》してしまえる。

伶子は林原を抱きながら今日一度きりの繋がりを悟り、これから先自分に訪れる長い長い余生を思った。

13

駄目だ――。

秋津は握りしめていた篆刻刀《てんこくとう》を放った。篆刻台の下に敷いた新聞から石粉が舞い上がる。試し捺《お》しをするまでもなかった。

雅印は四角い印面の角を削り、円の中に「龍生」の文字を彫ると決めた。図案も充分考えた上だったが、いざ彫り始めると何かが違った。直径が八センチほどの円形に、名前がこぢんまり収まってしまう。そのくせ百分の一ミリという単位で平衡を欠いている。これではまるで自分の内側をさらしているようだ。

削りすぎたと思ったあとは、印面を紙やすりで平らにし、最初から彫り直す。二度、そんなことを繰り返していた。三度目の正直も、このままでは絶望的だ。なにが悪いというわけではない。以前ならば、一箇所彫り間違ったとしても全体をみて調整ができた。

しかし、今回ばかりは違う。この雅印は『墨龍展』の応募作に捺す最後の眼入れだった。達磨《だるま》の目玉であり魂入れだ。秋津の思い入れは張り詰めた糸になる。あ、とひとたび手が止まったあとは石を彫り続けることができなかった。

数を重ねるごとに、恐怖感が増していた。最初に持っていた自信と意気込みは、印面を破棄して新たに彫り始めるたびに薄まっている。

――間に合わない。

締め切りは十月末日だった。雅印を捺してしっかりと乾かしてからでなくては表装もできない。逆算すると、どうしても十月中旬には仕上げねばならないのだった。

誰もいない教室に暖房を入れ、家事と母の世話にとられる時間以外はすべて石を彫ることに費やしている。なのに思うような線が残らない。ここで失敗できないと思った瞬間に、刃先に思わぬ力が入ってしまうようだった。まるで初心者だ。秋津はひとつ息を吐いて、放った篆刻刀を竹筒に戻した。

暖房の目盛りを下げて教室をでる。ひんやりとした気配が廊下に流れている。建て付けの悪い玄関の戸口や家のそこかしこにできてしまった隙間《すきま》から、秋の冷たい風が入り込んでくる。

台所で水を一杯飲んだ。秋津の足下にパンダがやってきて、白い尻尾《しっぽ》でふくらはぎを撫《な》でて去ってゆく。二日前に伶子が林原から預かってきた。パンダが視界に入るたびに、純香の面影が過《よ》ぎる。葬儀で泣いていたときの、不思議な心もちを思いだしては胸焼けを起こす。

この世からひとつ天賦《てんぷ》の才能が消えたことを、気持ちの片隅で喜んでいた。パンダがすり寄ってくると秋津は、葬儀の涙は哀《かな》しみではなく喜びではなかったかと問われているような気がする。

純香が可愛《かわい》がっていた猫は、日がな一日、母のベッドのそばで眠り、伶子が帰宅するとひと鳴きして食事をねだる。秋津にはなにも要求しない。猫とのあいだにある距離を、伶子とのそれに重ねては苛立《いらだ》っている。

猫を連れて家に戻った伶子は、すぐにまた外出した。郊外のショッピングモールで、買い忘れたものがあるという理由だった。普段、嘘《うそ》をつくくらいならば黙っていることを選ぶ女だ。秋津は出会ってから初めて、妻の迂闊《うかつ》さに触れた気がする。

洗濯機から取り出して干す際に、妻の下着が一枚多かったことに気づく男なのだ自分は。伶子は林原の部屋へ行く前に下着を替えた。それがなにを意味するかを、考えるのも面倒だった。

苛立ちは篆刻刀に込める力加減へと移り、再び秋津の胸へと戻ってくる。終わらない。嫉妬と言いきる自信はなかった。伶子の気持ちが外に逸れていることに安心していた。自分の心の内を覗き込まれるより、ずっといい。

母が珍しくテレビをつけていなかった。手に握られたリモコンが見える。秋津は介護ベッドのそばに寄った。母のまぶたがうっすらと開く。秋津を見上げる瞳《ひとみ》は正気だ。

声に出さずに問いかける。

もういい加減やめたらどうですか。そんな演技、僕の前ではおやめになったらどうですか――。

母は開いた目を再び閉じた。

自力で風呂にも入らない、食事も排泄《はいせつ》も人任せ。正気でこの姿はきつかろうと思うが、母の様子は六年間変わらない。息子夫婦になにを望んでいるのか、なにを望んでいないのか、知ることができれば納得もゆく。

ふと、母の目的を知り、納得してそのあとはどうするのかと自分に問うた。伶子の横顔が脳裏をかすめる。純香がそれを追う。林原はどうだろうか。

秋津はあの男をただの道化にしなければならぬと思った。そうでなくては、自分が母とともに送ってきた日々がただの滑稽《こっけい》な時間になってしまう。誰にせよ笑われるのはたまらなく嫌だった。誰よりも、伶子と林原から憐《あわ》れまれることには耐えられそうもなかった。

秋津は閉じた母のまぶたに向かって話しかけた。

「おかあさん。僕は今年も『墨龍展』に応募します。教室には今、生徒さんがいないんですよ。毎日静かなのはそのせいです。純香さんのことがあって、お休みしているんだ。これは神様が僕にくれた大切な時間だと思ってます。おかあさんも、そう思うでしょう。応募作はできてます。あとは落款《らっかん》を入れるだけなんです」

母はぴくりとも動かない。秋津は続けた。

「でもね、その雅印がいまひとつ駄目なんだ。丸くて赤い玉をイメージしているんですけどね。なにがどう駄目なのか、収まりはいいのに平衡が悪いんです。僕の気持ちにゆがみがあるのかな。毎日がんばっているんですけど、うまくいかないんですよ」

母の様子は変わらなかった。秋津はひとつ息を吐いた。ベッドの足下で、パンダが身を縮めた。ひょいとベッドの上へと飛び乗る。体を丸めて、こちらを見ている。おおきなあくびをしたあと、眠り始めた。母とパンダの寝息を、古いストーブの音がかき消す。

秋津は母のそばを離れ、洗面室に干してあった洗濯物を外してたたみ始めた。手を止めて、伶子の下着の縁を囲んでいる細いレースを見る。なんの華やかさもない、伸縮綿の下着だった。力まかせに引き裂いてみようか。いや、違う。秋津の内側でなにかが沸き立っている。

洗濯物をたたむのが巧《うま》くなった。こうして、自分も一緒にたたんでしまえばいいのだ。伶子も、母も、みなひとまとめにして、ちいさくたたみ込んでしまえばいい。

秋津は教室へ戻り、荒い紙やすりを使って、彫った印面を削り落とした。

その夜、早めに二階へと上がった伶子を追うように、秋津も寝室に入った。伶子は枕《まくら》をクッション代わりにして、両膝《ひざ》を立てて携帯画面を見ている。半乾きの髪を片方だけ耳にかけていた。秋津はベッドの角に腰を下ろして妻に話しかける。

「寒くなってきたね」

「ええ。でも、お義母さんの調子がいいみたいで良かった。この時期は毎年風邪をひかせてしまってたから」

「うん。猫がいい相手をしてくれてるようだ。助かるよ」

ほんの少しの間を置いて、伶子が言った。

「このまま、パンダをうちで飼うのはどうかな。龍さん、どう思う」

上がった語尾に女の媚《こ》びを探す。秋津は伶子の言葉を引き取って「どうかな」と曖昧に返した。

「出張のときは預け先に困ってるみたいなの」

「だからといって、純香さんの忘れ形見を僕たちが引き取っていいものかな」

視線がゆらりと絡《から》み合う。体の位置をずらして、閉じた膝頭にそっと触れた。妻の内側に、秋津の手を逃れようとする気配を感じ取る。かすかな動揺。膝ひとつでさえこうだ。笑いだしたい気持ちを抑え、置いた手に力を込めた。

「ねぇ伶子、僕らはもう、林原館長とはあまり関わらないほうがいいんじゃないかな」

どうしてかと問う不安げな瞳を見る。

「お互い、いろいろ思いだしてつらいだけだろう」

妻の膝を少しずつ左右へ開いた。瞳から光が失われた伶子の、逆らわない両脚の間へと滑り込む。部屋の明かりを点《つ》けたまま、妻の体を探り続ける。行き止まりまで進み、そこで歩みを止めた。秋津を見上げる目の縁がうっすらと赤い。つよく圧《お》した。目を閉じ、唇がひらく。その表情に、欲望も高まっていった。

もっと苦しめばいい。伶子の唇から覗く舌が赤い。

平気で嘘をつける舌を、引き抜いて切り刻みたい――。そうだ。もっと軽蔑《けいべつ》すればいい。

生活力も才能も、なにも持たない男を嗤《わら》えばいい。

秋津は終わりの見えない快楽にしがみついた。


翌朝、台所の片付けと洗濯を終えたあと、教室に入った。ひんやりと乾いた気配のなか、墨のにおいが何層にも重なり合っている。暖房のスイッチを入れた。

いつも作業をしている場所が視界に入る。新聞の上に印面を削った紙やすりや篆刻台、篆刻刀や石が放りっぱなしになっていた。

秋津はふと、石のところで視線を止めた。昨日となにひとつ変わった気はしないのだが、なにかが違う。教室の戸口を見る。部屋が暖まるまで台所で新聞を読もうと思い、すぐ戻るつもりで開けっ放しにしてあった。戸口と篆刻台のちょうど真ん中に立ち、昨日教室を後にしたときのことを思い返す。

印面を削り終わって、石粉が舞い上がらないよう気をつけて立ち上がったはずだった。すぐに暖房を消したのと疲れもあって、普段はすぐに捨てる石粉をそのままにしてしまった。暖房を入れる前に捨てればいいと、あのときは思っていた。

広げられた新聞の上にも石の周りにも、石粉がなかった。

秋津は新聞のそばに立ち、吹き飛ばしてしまったかもしれぬ石粉を探した。いちど彫った印面がなくなるほどの粉だ。何かの拍子に吹き飛んだにせよ、すり切れた敷物の上は粉だらけになる。注意深く見るが、石粉が飛び散った様子はどこにもなかった。おそるおそる、昨日放り出したまま伏せられている石を持った。左の手のひらにずっしりとした重み。裏返してみる。角を削り丸い図案どおりの印面に『龍生』の鏡文字があった。

真夜中、寒い教室で黙々と石を彫る母の姿を想像した。覚えがないほどつよい悪寒が走る。自分にはここまで繊細な印面を作り上げることはできない。わかっていて母に雅印のことを告げた。

最初から母の正気を試すつもりだったと、そのとき気づいた。己の欲に気づかぬふりができるほどの狡猾さ。かつて自分にも他人にも、そんな狡さを見たことがない。

息子のためにできることを思い、起き上がる母の姿を想像する。

普段は麻痺《まひ》している体が、ある一瞬、あるひとときだけ正常になる。強靱《きょうじん》な意志か怒りか、母を正気に戻すのは息子へのつよい感情――。

考えたあと首を振った。そんな都合のいい病気などあるわけもないし、自分の欲に気づかぬなどというわけも、ないのだ。みんなすべての言動が意識の下にある。自分たちの居場所を少しでも居心地よくするためだ。母も自分も無意識を装《よそお》い、巧妙に心の内をすり抜け、一ミリでも多く居場所を広げようとしている。弱い者を装い、最後にほしいものを手に入れる。母も自分も正常で狡い人間だった。

机の引き出しから篆刻用の朱泥《しゅでい》をとりだす。自分が彫ったものが駄作だとわかるくらいに、母の腕がまったく衰えていないことにも気づいている。

半紙の上に現れた、赤々とした「玉」を見つめた。龍が胸に抱いて天へと駆け上る際に持つ、命の玉だ。欲の玉かもしれぬと思う。呼吸を整え、反故紙《ほごし》で印面を拭《ふ》いた。

秋津は紙を保管している引き出しから、あとは落款を入れるばかりになった応募作を取りだした。硬い質感の六尺画仙紙だ。墨を吸いながら、書き手の命も吸い取ってしまいそうなほど力強い紙だった。買い置きのあった五百枚をすべて使い切り、選び抜いて残ったのは五枚だ。千枚書いて一枚も残らないことだってある。作品の善し悪《よしあ》しがわかる知識を持ちながら、その腕を生かせないことほどつらいことはない。

自分のような人間がひとたび行き止まりに気づいたときは、磨いた腕を切り落とすしか生き残る術《すべ》はないのだろう。それが最後の自尊心だと信じている。心を生かして腕を断つのだ。秤《はかり》にかけるふたつを無理やりひとつにすれば、自分の内側にひずみが残る。秋津は生活の糧《かて》の一切を妻に頼り、筆を選んだ。それをよしとしてきた今までを、なんとしても生きた時間に変えなければならない。

まだ自分には細くとも道があるのではという期待を持って、五幅の全紙を二枚ずつマグネットを使いボードに垂らす。一枚落として、新たな一枚を加える。そうして最後の一枚を決めてゆく。

最後の二枚が並んだ。腕を組んだまま見つめ続けた。時間も思考も速度を落とし、いつのまにか止まる。

大型車が通り過ぎる振動で、家が揺れた。秋津は壁の時計を見た。母の昼食を用意しなくてはいけない時刻になっていた。選び始めてから二時間が経過している。秋津は二枚の作品の前に立ち、落とすと決めた一枚を勢いよく引きはがした。留めていたマグネットが床に転がる。

破った。もう後戻りはできない。最後の一枚を壁に残し、教室をでた。

母はお昼のワイド番組をぼんやりと眺めていた。

冷蔵庫から昨夜の残りの冷やご飯を取りだした。鍋《なべ》に白出汁《しろだし》を注ぎ入れ、水を足し、ご飯を入れる。煮立ったところで味噌《みそ》と溶き卵を回し入れる。お玉で鍋底に円を描き、火を止めた。

息子夫婦が寝静まったころを見計らって石を彫っていたのなら、明け方近くまでかかったろう。一日中うとうとしているとなれば、消化のよいものがいい。昼のお粥《かゆ》はあまり好まない母だが、今日は言うことを聞いてもらわねばならない。

「おかあさん、昼はお粥です。今日は柔らかいものがいいでしょう。調子はどうですか」

盆にお粥の入った器をのせて、枕元の椅子《いす》に腰掛けた。母はうつろな瞳でこちらを見ている。

「熱いですからね、少しずつ冷ましながら食べましょう」

ゆっくりと母の唇が開いた。秋津はプラスチックのスプーンですくったお粥に息を吹きかけて冷まし、母の口の中へと流し入れた。喉が上下して、再び唇が開く。

「あぁ、ちょっと音が大きいですよ」

母の右手にあったリモコンをそっと外してテレビの音量を下げた。掛け布団《ぶとん》の上に投げ出された母の右手を見る。中指の先に篆刻刀に巻いたたこ糸の痕《あと》が残っていた。薄くなった皮膚のところどころが赤くなっている。人差し指の付け根、親指の爪《つめ》の脇《わき》も赤い。秋津が話しかけても振り向きもしなかった若いころの母を思いだした。これが母の自尊心を保つ方法ならば、自分も一緒に埋もれてゆかねばならない。

ただ、と秋津はお粥をすくいながら無言で問いかける。

一蓮托生《いちれんたくしょう》なんですよ、おかあさん——。

母とともに歩かねばならぬ道ならば、と思った。

「味は、どうですか。しょっぱくないですか」

母が首を縦に動かす。秋津は吸い飲みを母の唇に近づけた。水を飲みこむ音。老いた歯の隙間に挟まる米の粒。醜悪なかたちをした母そのものが、秋津の現在を物語っている。もう、迷わず歩くしかない。

応募作がよい成績を残す予感はある。それは四十年ものあいだ筆しか持たずに生きてきた自負だけではない。信じているのは、振り分けて選び取る能力だった。今の秋津にとって、ひと目見て判断のつかぬものはないように思われた。五枚から一枚を選ぶ目の確かさは、母が秋津に与えた能力のひとつだ。

ひとつ約束が必要なんですよ、と秋津は声にださず母に話しかける。

約束ですよ、おかあさん——。

母と息子のあいだに流れる暗く太い川の底をさらう日を思い、秋津は震えた。もう冷ます必要もなくなったお粥の、最後のひとすくいを母の口に入れる。

石を彫る母の姿が浮かび、目を瞑《つむ》った。喉につかえていた小石がすっきりと胃の腑《ふ》まで落ちてゆく。自分の仕事はもう、このひとつしか残されていないように思えて、知らず微笑《ほほえ》んでいた。母の額に手をあてる。

秋津は自分でも驚くほど落ち着いた声で、母に告げた。

「おかあさん、死にたくなったらいつでも言ってください」


十一月末の月曜日、珍しく街に積もるほどの雪が降った。秋津家に一本の電話が入ったのは午前十時のことだった。

「秋津龍生さんのお宅でしょうか」

「はい、わたしが秋津ですが」

「墨龍会本部、事務局の横山と申します。このたび、第二回『墨龍展』大賞のご受賞が決まりました。まことにおめでとうございます」

「大賞、ですか」

「満場一致で秋津龍生さんの『画竜点睛《がりょうてんせい》』に決定いたしました。今後の事務的な運びや取材その他、後ほど書面でもお送りさせていただきますが、おおまかな動きだけこのお電話でお伝えさせていただくことになります。よろしいでしょうか」

その声は過剰に事務的で、なんの悪い冗談かと問うてみたくなる。しかし電話番号表示の液晶画面には東京の市外局番から始まる番号が表示されている。夢ではない。

誰かの悪ふざけでもない。応募したときから、なにかしらの結果がでることを秋津は疑っていなかった。それだけの手応《てごた》えがあるものを送ったはずだ。

「はい、お願いします」

大賞発表は一週間後の新聞紙上で、事前取材はこの三日以内に秋津の指定した場所に記者が出向くかたちで行われる。

「公《おおやけ》に発表になってから二週間後に東京本部で授賞式が行われるのですが、それにはご出席願えるでしょうか。お忙しいところ恐縮ですが」

「ええ、問題ありません」

「では、追って新聞各社からの連絡をお待ちください。時間的に余裕がなければ、合同取材という方法もございますので、そこは遠慮なくおっしゃってください」

受話器を置いたあと、しばらくのあいだ電話番号の消えた液晶画面を見ていた。

『墨龍展』大賞受賞——。

去年、喉から手がでるほど欲したものだった。秋津の目から冷たい涙が流れ落ちる。

母に、伝えねばならない。

秋津がベッドの脇に立ったとき、母の目ははっきりと見開かれていた。いつもは半開きのだらしない唇がきつく結ばれ、正気の眼差《まなざ》しには見たこともない光が宿っていた。

椅子に腰を下ろし、母に語りかける。

「おかあさん、『墨龍展』の大賞を取ったそうですよ。今、連絡がありました。聞いていたんでしょう。僕がなにを出品したのかも、知っていますよね。喜んでくれますか、おかあさん」

母の目が弓を引いたように弧を描いた。唇の両端が持ち上がる。左右均等だ。秋津も笑った。

「僕という人間に、神様が与えてくれたものがこれなんですよ。あなたには、わかっていたんだ最初から」

母が右手を持ち上げる。母の手が秋津の髪を撫でる。されるままになっていると、再び涙があふれてきた。布団の襟に掛けたバスタオルにぽたぽたとこぼれ落ちる。何ごともなかったように吸い込まれてゆく。母の指先が秋津の目をそっとぬぐった。

秋津は震えも迷いもない母の手を摑み、今度は声をあげて泣いた。あとからあとから流れ落ちる涙は、いつまで経《た》っても涸《か》れそうもない。これから先のことを考えることができなかった。

秋津は母の手にしがみつきながら、自分をこんな風にしたのはこの手ではなかったかと思う。母の手はいつも、息子を思う方へと導き、破滅させる。母の愛情に名を借りた傲慢《ごうまん》な思いは、栄養であって毒、毒であってやはり愛情なのだろう。

午後六時、伶子が帰宅した。洗面室でうがいと手洗いをしている妻の背中に、凍った道のことなど訊《たず》ねたあと、静かに言った。

「伶子、『墨龍展』の結果がでたよ」

鏡に映った秋津と目を合わせたあと、驚きを隠さず振り向いた妻の目に伝える。

「大賞だそうだ」

「本当なの、龍さん」

「うん。朝、連絡がきた。すぐに報《しら》せたかったけれど、職場に電話をかけるのもなんだし、僕は携帯電話もメールもないから」

卑屈な響きにならぬよう気をつける。言葉にして体から出してしまえば、不思議とそのような心もちになってゆき、次第に現実となり真実になるような気がしてくる。伶子は両手をだらりと左右に垂らしたまま「よかった」とつぶやいた。うん、と応える。

「ずいぶん心配かけたけど、これでまた教室を開くはずみにもなるだろう。いつも済まないと思ってた。今日くらいは礼を言わせてくれないか」

「龍さんの気の済むように、なんでも言ってちょうだい」

その言葉にも心にも、なんの嘘もない。秋津も同じだった。嘘をついている自覚もなく、こぼれる言葉にすくわれてゆくのだ。伶子は去年大賞を取ったとしても同じ反応をしただろう。十年がかりで培《つちか》ってきた、これが自分たちの関係だ。秋津も伶子も、それぞれの思惑をはみ出さない。お互いが予測の範囲内で言葉を選び、肌と時間を重ねてゆく。平穏でかなしい、静かな時間の過ごし方だ。

「お祝いしなくちゃ」

母にはもう報告してあるのかと問われ、うなずいた。

「特別な祝い事はいいよ。昼時に新聞社からいくつか取材の申し込みがあったんだ。たぶん、小樽の実家で取っている新聞もあると思う」

「思いきり自慢してもいいかな」

秋津は今日初めて笑った。伶子も笑っている。息を潜めている母のほうを見ぬよう気をつけながら、伶子の笑顔に応えた。虚と実のあわいで揺れながら前に進んでいる。みな揺れ続ける。

もしかすると、と秋津は思う。

もしかすると、いっとき止まっていられたのは、純香の存在があったからではないのか。

妻の笑顔がくもらぬよう、秋津はすぐに風呂《ふろ》の用意を始めた。笑い声は当然母に聞こえている。すぐ機嫌を取りに行ってもお互いに心の負担が増すだけだ。風呂に水を溜《た》めながら、波紋を広げる水の動きを見ていた。蛇口から落ちる水は深く潜り、浴槽の中に散ってゆく。青い浴槽に溜まる水を見ていると、どうにもそこへ飛び込みたい衝動に駆られる。

秋津家にもらわれてくることのなかった白猫のことを考えた。毎日毎日、猫の動きに意味を探すのは苦痛だ。秋津にすり寄ってきても、そっぽを向いていても、伶子になついているのを見ても、純香が猫に姿を変えて戻ってきたのではないかと疑っていた。猫が視界に入るたびに純香のことを思いだし、やりきれない。

もしもパンダを引き取ることになっていたら、秋津の神経が保《も》たなかっただろう。内心ほっとしつつ、猫のことでふたりが行き来しているのを考えると苛立った。純香がいたころは相殺《そうさい》されていた嫉妬《しっと》心が、今は秋津からの一方通行だ。夜中に入るメールが友人からのものなのか、生徒からなのか、林原なのかわからない。毎晩、震えている携帯電話のそばで寝息をたてる伶子を背中に感じながら、浅い眠りをかき集めている。

湯船の七分目まで水位が上がってきたのを見て、慌《あわ》てて蛇口を閉めた。

目覚めはここ数か月、あまりよくない。起き上がろうと思うと決まって頭痛がする。伶子がすでに身支度を整えていても、気づかないことが多くなった。浅い眠りが明け方まで続き、やっと眠れたころ朝になる。体が睡眠の周期を忘れてしまっているとしか思えなかった。

地元新聞の取材が午前十一時に入っていた。場所は図書館ロビーということになっている。記者があえて教室という申し出をしないのは、そこがこの秋の事件が起きるきっかけとなった場所だからだろう。誰もそうとは言わないが、おおきく外れているような気はしない。

純香と嘉史が出会った場所が、数か月で祝いの記事の舞台となることには秋津も抵抗がある。記事は昨年の受賞者よりちいさな扱いになるかもしれぬ、と秋津は思った。それならばそれで、見出しが少しでも大きくなるような言葉を用意してやろう。

加湿器の水を補充し、洗濯機を回す。母には一時間で戻ると告げて家をでた。冬の空気は張りつめており、急激に秋津の耳を冷やしてゆく。寝起きの頭痛がまた戻ってくる。氷と雪の感触が足裏から伝わってくる。信号待ちで、坂の下を見た。坂の大きなカーブと川向こうに緑化施設が見える。

数キロ上流でせき止められた釧路川は、地下水脈から流れ込む湿原の水によって少しずつ河口へと向かうが、潮が満ちてくると逆流する。一日中行ったり来たりを繰り返す川は、秋津の心模様にも似て、むなしく海水を往来させている。

信号を渡り、生涯学習センターを横切って図書館へと入った。一歩足を踏み入れてから、ここが純香と初めて会った場所だったことに気づいた。去年個展を開いた会場では、クリスマスの飾りとともに、絵本の展示が行われていた。立ち止まると、入口にいる年配の女が「どうぞ」と展示室を指し示す。会釈《えしゃく》をしてテーブルが並ぶロビーの奥へと進んだ。

椅子に腰掛けていた男が立ち上がる。去年、個展の取材にきた記者だった。

「このたびはおめでとうございます。とうとうやりましたね」

「ありがとうございます。身に余る賞です」

いや、と記者はこちらの言葉を打ち消し「ご精進の結果」と持ち上げた。

「早速、今のお気持ちを伺いたいのですが、よろしいでしょうか」

勧められた椅子に腰を下ろす。階上に林原がいると思うと、肩に妙な力が入った。

一年前の野心を胸の奥から掘り起こす。「今の気持ち」とつぶやいた。

「昨年の気負いが、今年はなかったように思います。無駄な力が抜けて、出品作に自分のすべてを注ぎ込むことができました。僕を支えてくれた妻に、感謝しています」

記者のペンが最後のほうで忙しく動いた。

「奥様は、どんなふうに秋津先生を励まされるんでしょうか」

「なにも。普段となにも変わらず、静かな毎日を提供してくれます。心が上下することなく書に向かう時間が、僕にとって貴重なことをわかってくれているんです」

「今回のご受賞について、どんなふうにおっしゃってましたか」

「素直に喜んでいるようでした。僕も嬉《うれ》しかったですよ」

「お母様は、長く街の書道界を牽引《けんいん》されてきた秋津鶴雅《つるが》さんですが、最近は臥《ふ》せっておられると伺いました。ご報告されたのでしょうか」

「はい。体の自由はきかなくなりましたが、とても喜んでおります」

「ご自宅で介護されているんでしょうか」

「もちろんです。母がいちばん安心できる場所は、やっぱり住み慣れた家だと思うので」

記者は母親の介護をしながらの受賞というところを、長々と質問し続けた。もう記事の構想はできあがっているのだろう。秋津は逆境のなか栄冠を勝ち取った苦労人に仕立て上げられる。間違っているのか正解なのか、当の秋津にもよくわからなかった。

「ありがとうございます、いい記事になると思いますよ」

取材は唐突に終わった。組み立てに必要な材料が揃《そろ》ったらしい。

「こちらこそ、ありがとうございました」

ここから先は、腰の低い母思いの書家でいなければならぬ。図書館の前で記者と別れた。秋津は歩道にでる一歩手前で足を止めた。ゆっくりと振り返り、四階の窓を見上げる。青黒い空が目につき刺さってくる。冬を包む道東の太陽は、その光をすべて青空に吸い取られているようだった。

14

信輝は正月休みとそれに連続する札幌への出張を利用して、生まれ育った家に戻った。タンクに残っていたわずかな油を使い切るつもりでストーブに火を入れる。使い切ったら、札幌のビジネスホテルに部屋を取ればいい。

明かりをつけても、ほとんどの光が暗い壁に吸い込まれていた。祖母も純香もいない。女を三代続けて失った家だった。わずかな華やかさを壁の絵や玄関の置物に残しているが、それらはみな信輝がこの家にいたころから変わらない。

母を失っても祖母を失っても、妹を失ったときにさえ抑えていられたかなしみは、秋津伶子と肌を重ねたとき現実味を増し、ふくれあがった。深く潜り込むつもりの暗い海底に、真白い別の空間を見た。あれは自分ではなく伶子の虚無ではなかったか。

信輝は垣間見《かいまみ》た彼女の奥底に、快楽とは別の畏《おそ》れを持った。予感は現実となり、二度目はないままだ。

師走《しわす》の忙しさも底を突いたのか、札幌の近郊都市特有の気配なのか、大晦日《おおみそか》の街は落ち着いていた。年末年始をこの家でひとりで迎えることになるとは、去年の今ごろは思ってもいなかった。

テレビのスイッチを入れる。紅白が始まろうとしていた。急に腹がすいてきた。部屋が暖まるまでのあいだコンビニで食料を調達しようと立ち上がりかけたとき、玄関の呼び鈴が鳴った。

人がひとり通れるくらい除《よ》けた雪の道に、里奈が立っていた。白っぽいダウンコートのフードを被《かぶ》っている姿に、一瞬純香ではないかと思った。信輝の驚きがどう伝わったのか、里奈は「ごめん」と言ってフードを外した。

「帰って来てるってひとこと連絡くれればよかったのに」

「さっき着いたばかりなんだ。御用始めから札幌出張なんで、片付けついでにこっちにきた」

「今、年取り用の御神酒《おみき》を買い忘れたんでひとっ走りしてたところなの」

里奈の背後に粒の細かい雪が降っている。今夜は積もるかもしれない。押し黙る信輝の背後を覗《のぞ》き込みながら、里奈がひとりかと訊ねた。

「誰かいたら、怖いだろう」

「そういうんじゃなく、誰か連れてきてるんじゃないかと思って」

純香の葬儀のあと、釧路駅まで送った際の会話を思いだす。

——純香ちゃんをあんな風にしちゃったのはわたしかもしれない。ノブくんとやり直すって言うまで電話を切らないつもりだと思って、わたし純香ちゃんにひどいこと言った。

——ひどいことって、いったいなんだ。

——ノブくんがわたしと結婚しないのは、ほかに好きなひとがいるからだって。嘘だと思ったら本人に訊《き》いてって言った。ほかに好きなひとがいると一緒に温泉に行けないのかって訊かれて、もちろんて答えたの。なんでも純香ちゃんの思い通りになると思ったら大間違いだって。

「うちの年取りが終わったら、こっちに来てもいいかな」

「そんな暇ないだろう」

「なにかつまみを見つくろって詰めてくる。嫌なら追い返して」

信輝に手を振って、里奈が雪の中へ走って行った。中学のころとなにひとつ、背丈も声も変わっていないように思えた。里奈との関係について、純香に告げねばならなかったのは信輝のほうだった。妹が駄々をこねるのがわかっていて、自分はその日を先延ばしにしていた。信輝を引き留めていたのは、告げてからも変わらず一つ屋根の下で暮らさねばならないことへの煩《わずら》わしさだろう。誰を恨むことも責めることもできなかった。

恋心から出発しなかった里奈との関係は、やはり恋心なく終わる。一緒にいて苦ではない女が、ずっと一緒にいてくれることは稀《まれ》に思えた。どちらかの心がつよい折り合いを求められ、どちらかが耐えきれなくなる。つきあいの過程がどんなものでも、始まりと終わりが違う景色ということはなさそうだ。心を重ねたぶんだけかなしみを残して、遠く離れてゆく。楽な場所を求めてお互いが遠かった日に戻る。

鍵《かぎ》をかけてコンビニへと向かった。

里奈が現れたのは、午後九時をまわったころだった。玄関の鍵は開け放してある。

「ノブくん、まだ起きてるでしょう」

居間のドアがノックされた。返事をしてすぐに里奈が現れた。もう白いダウンコートに驚くこともない。コートの肩にあった雪が瞬《また》く間に溶けた。里奈は買い物袋からプラスチック容器を取り出し、こたつの天板にのせた。

こたつで寝転びながらテレビを観《み》ていた信輝も、起き上がる。ダウンコートを脱いで丸めている横顔に訊ねた。

「初詣《はつもうで》の約束はないのか」

「新年はなんにもお願いすることがないの。今年のお礼もないし」

里奈は寒いところに一時間も並ぶのは面倒なのだと言って笑った。紅白も中盤を過ぎて、より騒がしくなっている。去年と同じ景色のなかにいるようだ。あの日撮った写真が遺影になるなど、誰が想像しただろう。一年も経ってしまったことが冗談に思えてくる。言葉にならぬほどのあっけなさで、純香は祖母のもとへ逝《い》った。

「ノブくん、やっぱり紅白なんだ」

「やっぱりって、どういう意味だ」

「高校受験の直前も観てたでしょう。のんきな人だなぁって思ったんだよ」

里奈に電話で誘われ、一緒に合格祈願に行ったことを思いだした。豪雪の年、人の幅しかない道を雪の壁に挟まれながら神社まで歩いた。信輝の後ろをついてくる里奈に、家でなにをしていたのか問われ「紅白を観ていた」と答えた。

「年に一度、ばあちゃんの楽しみだったからな」

毎年番組を観ている最中でも、十時になると純香は布団に入った。祖母も、普段は飲まない酒をぐい飲み一杯だけ信輝につき合う。作り置きのきく質素な料理が皿に並んでいた。油ものや揚げものは少なかった。

里奈が容器のふたを開ける。煮物やかまぼこ、煮豆や酢のものが少しずつ。彼女の母親の味付けは、祖母よりすこし薄い。コンビニのおでん容器を見た里奈が「またこういうの食べてる」とつぶやいた。戸棚からだしておいたビアグラスを里奈の前に置く。冷蔵庫のプラグを抜いているので、冷やさなくてもいい赤ワインを買ってきた。注がれたワインを半分飲んだあと、里奈が言った。

「この家、本当に壊しちゃうの」

「ああ、俺がこっちに戻ってこられる気配はないし。いつ住むかわからない日のために残しておくほどの建物でもない。処分するにはいい頃合いだろう」

里奈は「処分か」と言ってグラスを空にすると、信輝と自分のぶんを注いだ。

「いつまでも、おまえに鍵を預けておくわけにもいかないだろう」

「わたしが買えば万事丸くおさまるんじゃないかな」

信輝はあぐらをかいた脚を組み替えながら、馬鹿《ばか》を言うなとグラスに手を伸ばした。

「自宅通勤で勤続十四年だからね。そこそこの蓄えはあるんだよ。このあたりの地価は毎年下がってるし、悪いけど建物があったほうが安いの」

「売るときは更地にするんだ。里奈が買って活用できるような土地じゃない。多少駅に近いくらいで、周りはみんな古い家ばかりだろう」

「売るつもりなら、買い手は誰でもいいじゃないの。なんだったら間に業者を入れたっていい」

「純香の香典代わりなら、断る」

里奈がグラスに入っていたワインを一気に飲んだ。信輝はこの話を終わらせたい一心でテレビのチャンネルを替えた。歌番組と、ドラマとバラエティ。どの局も長く観ていることができない。

「ここを売ったら、ノブくんが戻る場所なくなるじゃない」

戻る場所など最初からないのだと言いかけて黙った。そのまま口にしたのでは、里奈と過ごしてきた時間をすべて否定することになる。

「実はね、わたしのところもけっこう古いし、ここ二、三年のうちに建て替えると思うわけ。そのあいだ、住む場所があんまり離れたところってのも嫌なのよ」

「だからって、ここに住むことはないだろう」

嫁に行くと言っていなかったか、と問いたいのをこらえる。里奈もおそらくそこを突かれたくはないのだ。目的がはっきりしない会話をするのも苦痛になってきた。チャンネルを紅白に戻す。時計は十時になろうとしていた。そのとき思ったことが、するりと口から滑りでる。

「十時になると、ほっとする」

なぜかと問われ「純香が寝る時間だから」と答えた。午後十時からは、妹の不在を気にしなくてもいい時間になる。どこに行っても、どこで暮らしても、純香は変わらず十時に布団に入っているような気がする。言葉にすると嫌でも純香の不在を認めざるを得ない。うつむいておおきく息を吐いた。両肩から、おかしな具合に力が抜けていった。

自分が泣いていることに気づき、信輝は座布団を二枚に折って横になった。歌い手が次から次へと替わる。床から表通りをゆく除雪車の音が響いてくる。寝転がったところから里奈の様子は見えない。ときどき鼻をすすり上げる音がした。

寝たふりをする信輝の肩に、里奈が毛布をかけた。立ち去る気配を背中で見送る。手持ちの鍵を使って戸締まりをしたようだ。一歩ごとに雪の鳴く音が響いてきた。足音は信輝の記憶をさかのぼり始め、いつの間にか祖母や純香、母のものと混じり合う。懐《なつ》かしさもさびしさもないのに、それぞれの足音にすがりつきたいような思いが襲ってくる。

足音を聞いているうちに信輝は「あぁ自分は問いたいのだ」と気づいた。皆の足音にすがって、どうして信輝の前から姿を消したのか問いたいのだ。耳に響いてくるのは、彼女たちがこの世を去るときの足音だった。こんなに澄んだ音で体の内側へと沁《し》みてくるのは、そのせいだ。

いつまでもいつまでも、応えはなかった。死はどんな問いも受けつけない。テレビを消すと、雪が窓にあたる乾いた音が聞こえてきた。

目覚めたときは、新しい年になっていた。

酒を飲む相手もいない。里奈からのメールも連絡もない。静かな正月を支えたのは、いつでも開いているコンビニとこたつだった。押し入れに積まれた布団は、一年以上干されておらず、古い建材のにおいを吸い込み、使う気にならなかった。

信輝は年明けからの三日間、押し入れの整理をすることに決めた。布団を出そうと開けた押し入れの中に「聖香」を消して「純香」と書き直された桐《きり》の箱を見つけたせいだ。祖母の文字だ。平たい縦長の箱だった。

家を取り壊すにしてもまず個人的な遺品の詰まった押し入れを整理してからと思った。ドールハウスのように、住人の生活をひろげながら崩されてゆく家から、祖母や母、純香のものが飛び散る様子を想像すると、それらを処分するのがこの世に残った者の役目のように思えてくる。

信輝は「純香」と書き直された箱を開けた。和紙に包まれた、黒地にしだれ桜が鮮やかな振《ふ》り袖《そで》が現れた。箱の横に、クラフト製の、長さ一メートルはありそうな細い筒が入っている。筒のふたを外し、中に入っていたものを取り出してみた。二枚の書道作品がでてきた。一枚が畳ほどもありそうな大きさだ。同じ文字が書かれてある。二枚の書の勉強をしてこなかった信輝にはなにが書いてあるのかわからない。ただ、双方は同じ作品でありながら、署名が違っていた。なんとなく「聖香」と「純香」と読めるのは、祖母が書いた母と妹の名前のせいかもしれない。

振り袖のしだれ桜は、すべて刺繍《ししゅう》だった。何気なく袖をめくってみる。写真館の名前が入った台紙が二冊あった。ひとつは振り袖姿の母が、もうひとつは同じ着物を着た純香が写っていた。

これほど似ている母娘は、そういるものじゃない。信輝は二十歳の母と妹を見比べながら、双子のようだと思う。祖母は純香を手元に置いて、若くして命を絶った娘の育て直しをしていたのではないか。そんな疑いが生じるほどに、ふたりはそっくりだ。

あまり長く見ていると、母と妹の持つ尋常ではない目の光に吸い込まれそうになる。母の瞳《ひとみ》には日常を捨てた気配があった。純香の瞳は澄みきって、もう魚も棲《す》めない水を思わせる。ふたりとも、晴れ着を着ているというのに、すこしも微笑んではいなかった。信輝に「純香のことを頼む」と言った祖母の涙を思いだす。結局、誰ひとり護《まも》ることができなかった。

会議のあと、図書館流通センターの事務所に呼ばれた。ここには社長室も応接室もない。常に現場という意識がそんな社風の土台にある。晴れた空の下には新雪が降り積もり、窓から見える新年の札幌は異国のようだ。雪がまぶしい。信輝は自分の軸足がすでに道東に移っているのを感じながら、新人スタッフが運んできた紅茶のカップへと視線を戻した。

緑茶ではなく、紅茶だった。これが出てくるときはなにかしら「告げるべきこと」があるときと知っている。釧路へ赴任が決まったときも、カップを縁取る複雑な金の模様を眺めていた。社長は信輝より三つ上だが、本人が「業務に支障を来《きた》す」と嘆くほどの童顔だった。年始の挨拶《あいさつ》用にスーツを着ているが、就活中の大学生にしか見えない。

「評判いいよ、林原君のところ。苦労した甲斐《かい》があったねぇ。東京に出かけても、鼻が高いんだ」

社長はひとしきり信輝を持ち上げたあと、まだ図書館長を続けたいのか、と訊ねた。

笑いながらうなずく。

「現場に置いといてください。旧体制時代の資料をできる限り保存しないと。うちの資料はちょっと他では見られないくらい充実してるんですよ。紙だと公開が難しいけど、デジタルなら世界を相手にできますしね。だから、頼むから予算をまわして下さいよ」

気概ある先人の仕事を目の当《ま》たりにすると、どうにかして日の目を見てほしいと思う。動かない職員の後ろで、何十年ものあいだ目立たない仕事を毎日毎日繰り返していた人間がいる。いつか役に立つと信じて集められた郷土資料は、もうどこへ行っても手に入らないものばかりだ。今年の大きな仕事のひとつに、精査した資料のデジタル化があった。

できれば全《すべ》ての資料を公開したい。そのために必要な資金は今のところ、信輝が立ち上げた事業から引っ張ってくるしかなかった。

社長はあいかわらず民営化に対する風あたりのつよさを嘆いている。会ったときはいつも聞かされる話だ。

「まったく、指定管理者制度に問題があるって言ってるとこに限って、問題のあるはずの導入館に対してなんのサポートも教育もしない。抗議文だけで労力使い果たしてるんじゃないか。御旗《みはた》だけなら阿呆《あほう》でも揚げられるさ」

「風あたりのつよさがないと、再生も難しいですからね。現場にいるとそれがよくわかります。興味がない人間の目をこちらに向けさせるためにかかる手間のことを思えば、導入前の抗議や袋だたきは前奏ですよ。職員全員が体を動かせば赤字は防げます」

「まず頭を動かそうとするから失敗してきたってことに、みんななんで気づかないんだろうな」

社長はそう言って少年のような前髪を両手でかきあげたあと、一気に紅茶を飲み干した。きた、と思った。道内の景気低迷に伴って、お手上げの自治体が増えていた。文化面から経費を削減するのはお決まりだが、そのせいで人件費の捻出《ねんしゅつ》が難しくなっている。意欲的に見えない者や、扱いづらい人間を文化系の部署にまわす慣例がある自治体はてきめんだった。また新たに、図書館の民営化を決めた街があるのだ。データで予測はついている。

「再来年度の完全移行を見据えて、春あたりからまたちょっと忙しくなるよ」

社長がにやりと笑う。新たに進出するのは、街の規模のわりに箱が大きい図書館だった。文化複合施設だ。導入が実現すれば、業務の幅も飛躍的に広がるだろう。信輝も口角を上げた。一年の半分は両方の街を行ったり来たりが続き、準備が整った段階で再び「館長就任」となるのだろう。事実上の内示だ。

「さっさと教育側にまわってもらいたいと東京本部から言われているけどね。昇進を嫌がる男をスカウトした僕としては、大いに責任を感じてるよ」

言いながら、顔は笑っている。さまざまな時間をのみ込んだ釧路の街を遠からず後にするという、感傷的な気持ちはなかった。このまま風に吹かれよう。今度こそ本当に旅行者《トラヴェラー》になる。いつか秋津伶子の面影が薄れるときがくる。どんな傷もお互いが生きていれば癒《い》えてしまう。彼女がどこかで今よりいい時間を過ごしていると思えば、否応《いやおう》なく癒えてゆく。深傷《ふかで》は純香ひとりで充分だった。さしあたっては、住む場所を変えるのがいちばんの薬だろう。

秋津が公募展で大賞を受賞してから、メールのやりとりは再び他人行儀なものへと変化している。一歩踏み出してしまった痕跡《こんせき》を消そうとでもするような、乾燥した言葉のやりとりだ。

さびしい魂をいくつ持ち寄ったところで、永遠に心の安定は得られない。伶子のメールは、あれは夢だったと暗に告げているようでもあった。出張から戻った信輝がパンダを受け取ったのは、図書館のロビーだ。あの日「パンダちゃんは、ロビーにお届けします」のメールを悪い冗談と思いながら何度も読み返した。

部屋を訪ねてこないだけで答えは出ていた。図書館ロビーにパンダを連れて現れるまでのあいだに、秋津に抱かれたのかもしれない。

男の傷は単純だ。いつか、伶子に似た女を抱いてみればどのくらい心が離れたかがわかる。一年後か、二年後か。嫌な大人になったものだと思う。社長が声を潜めた。

「負担も大きいと思うけど。体を動かしているほうがいいんだろう。違うかい」

短く礼を言った。その通りだ。体を動かしていないと、余計なことばかり考えてしまう。まだ動ける、まだ働ける。今はそうやって飛距離を伸ばしてゆくしかないだろう。

午後はどうするんだと訊かれ、信輝はこのまま釧路へ戻ると告げた。窓の下に広がる雪景色を見ながら立ち上がる。来たときよりも、わずかだが視線の位置が高くなったような気がした。

札幌駅はまだ帰省ラッシュの喧噪《けんそう》に包まれていた。信輝は駅構内のまんじゅう屋で職員の人数分の黒糖まんじゅうを買い求め、夕刻の列車に乗り込んだ。釧路に着くのは夜になる。食事は車内販売で弁当を購入することにした。

列車は峠を下りたところで鹿《しか》を撥《は》ね、一時間近く停車した。シートの背もたれを倒し、ここ数日の眠りの浅さを取り戻す。うとうとすると決まって祖母の夢をみた。

漬け物を漬けている姿だったり、筆を持っている姿だったり、決して信輝に話しかけようとはしない。祖母はときどき純香を呼ぶのだが、信輝の視界に妹は現れなかった。信輝はただの視線になっており、夢の中でみる祖母の前には存在していないようでもあった。

列車の遅れを詫《わ》びるアナウンスが流れ目覚めた。あと五分で終点釧路に到着するという。九時を過ぎていた。いつのまにか深い眠りに入ってしまったらしい。目覚めても一瞬自分がどこにいるのかわからなかった。ざわついた車輛《しゃりょう》内で、荷物棚からボストンバッグとクラフト製の筒を下ろした。

ひとまず実家から引き上げようと決めたものは、祖父母と母の位牌《いはい》、祖母が林原家に嫁いだころからのアルバム一冊と、母と純香の成人式の写真、筒に入った二幅の作品だった。書道用具は、取り壊しの前に里奈に頼んで引き取れるものは引き取ってもらおうと思っている。クラフト製の筒だけは規格が合わず、宅配業者の段ボール箱に入らなかったので信輝が持ち帰ることにした。写真よりもこの二幅に、母と妹が生きていた証《あかし》を感じている。書道は門外漢の信輝にも、まだ命あるもののように呼吸しているのがわかる。

ダウンジャケットを羽織り、シートの背もたれを元に戻した。列車が駅の構内に入った。

気温は低いが、風のない夜だった。駅前通りに並ぶ街灯が、オレンジ色の光を放っている。人通りのない街は、正月明けもあまり変わらない。ほとんどの商業施設が郊外へ移転したのは、車社会がもたらした恩恵でもある。「民営化」に対する嫌悪《けんお》も、本州資本の郊外型商業施設に対する反発も、結局のところ根は同じところにある。

社長が言うように、サポートと教育を欲しているのは利用者だろう。炭鉱と漁業で潤《うるお》っていた時代は過ぎた。今はブランドと見栄《みえ》だけで文化を維持できるほど、どの街も豊かではない。食べてゆくことだけで精いっぱいのところへ、「便利」と「得」が流れてゆくのは仕方のないことだ。割り切れないところを割ってゆく。それが信輝に与えられた仕事だった。

幣舞橋を渡りながら図書館の建物を見上げた。四階に明かりが見える。執務室から応接室に漏れているようだ。街灯の下で時計を見る。そろそろ十時だ。暖房もないところで年明け早々いったい誰が残業をしているのか。足を速めて急な坂道を上った。認証番号を押して、建物に入る。あまり驚かせてもいけないと夜間案内を入れていない番号へ電話をかけた。残っていたのは塚本だった。

「今、札幌から戻ったところなんだけど、こんな時間まで明かりが点《つ》いてるんで、誰がいるのかと思って」

「ちょっと、年末にやり残した資料整理があったのでつい。すみません、すぐに帰ります」

「いや、こっちこそ申しわけない。建物に入ってしまったので、いちど上に行きます」

電話を切って、非常口灯を頼りに四階へと上がった。

最小限の明かりの下、塚本の机に広がっている資料を覗き込む。信輝が手を付けなければいけないと思っていた郷土資料だった。いちどすべてを表にして、欠けているものがあれば市史編纂《へんさん》事務局へ問い合わせ、なければ古書を探す。

塚本が今日中に終えようとしているのは、幣舞橋の歴史について書かれた資料の整理だった。職員たちはみな純香のことを知っている。橋の歴史を集めた資料を信輝に整理させるのはしのびないと思ったのだろう。

「助かるよこれ、早急にやりたいと思ってたんだ」

できるだけ明るい声で言ったつもりだが、塚本は硬い表情のまま「勝手なことをしてすみません」と頭を下げた。

「謝ることじゃないよ。春までに引き継がなきゃいけないことがいっぱいありそうなんだ。こっちが言う前にとりかかってくれる人がいるのはありがたいことだよ」

「引き継ぎ、ですか」

「うん。僕は春から別の街も兼任するから。細かな仕事はスタッフに割り振ってお願いすることになると思う」

「事実上の異動ということですか」

「釧路が半分、向こうが半分。バランスは、そのときによって違うと思う」

塚本は街の名前を挙げて訊ねた。そうだと返す。

「人手不足だからね、館長代理なんていうポストはないんだ。塚本さんには面倒かけるけど、よろしく頼むよ」

昼間社長に、塚本の役職を「チーフ」に上げてもらうよう掛け合ってきた。遠からず内示があるはずだが、まだ本人に伝える時期ではない。

「これ、明日みんなに配ってください」

黒糖まんじゅうの入った紙袋を渡した。塚本は袋を受け取り、給湯室へと置きに行った。信輝は荷物を持ち、執務室のドアに向かって歩きだしながら、先に帰ることを告げた。

「帰ります。塚本さんも早めにきりあげて帰宅してください」

給湯室から走り出てきた塚本に手を振り、執務室を後にする。急いで階段を駆け下りた。体は湿気を含んだ布団《ふとん》ほどに重たいが、純香のことや異動にまつわるあれこれを話さねばいけない場所から早く遠ざかりたい。

外気はいっそう冷え込んでいた。ところどころ凍ったアスファルトを、転ばぬよう一歩ずつ進む。坂の上でふと足を止めた。なにを照らそうとしているのか、街灯が逆流する川面《かわも》に揺れている。ダウンジャケットのポケットで、携帯電話が震えだした。かじかむ手で画面を開く。里奈からだった。

『RINAです。ノブくんはもう釧路に帰っちゃったかな。こちら大雪警報が出ています。ノブくんが電気のブレーカーを落として帰ったかどうか心配中。暇なときでいいので連絡ください』

部屋の暖房をつけて、里奈に電話をかけようと時計を見た。大晦日の会話がずいぶんと遠くにある。ふたりがどんどん中学のころに近づいているような気がして、つと部屋の真ん中で立ち止まった。そんな錯覚も、純香がいないせいだと気づいた。呼び出し音が終わって里奈がでた。

「すまない。ブレーカー、自信ないんだ。火の元と水だけは気にしてきたんだけど。電気は消しただけだったかもしれない」

「なんとなくそんな気がした。わかった、明日でも行ってみる。古いお家《うち》だから漏電が心配なの。ちょっと、こたつが点けっぱなしになってたらどうしようかと思ってるんだけど。こたつの電源、消した記憶ある？」

「消したはずだけど」

改めて問われると自信がなかった。里奈がこれから行ってみると言う。

「ついでにブレーカーも落としてくる」

「明るくなってからにしたほうがいいんじゃないか」

「こたつが気になって眠れないから、今行く」

部屋が暖まり始めた二十分後、こたつの電源は抜いてあったという連絡が入った。

「押し入れに手を付けたはいいけど、収拾がつかなくなったって感じだね」

「うん、書道用具とか着物はよくわからないんで、そのままにしてきた」

「そのうちまた時間取って戻ってくるんでしょう。手伝うから言ってよ」

信輝は少し迷いながら、しばらく戻れないことを告げた。

「春から、別の土地と兼任みたいな状態になる。やり残した仕事も終わらせなきゃならない。民営化の準備が終わったら、そっちの街に行くと思う」

すこし間を置いて、里奈がちいさなため息をついた。

「そうか。相変わらず忙しいね」

「行けるときは、なるべく早めに連絡する」

里奈は「嫌でなければ自分が暇をみて少しずつ片付ける」と言う。ひとこと礼を言えばいいところを、迷った。

「この家の片付けをノブくんひとりにさせるのは、なんだかつらいの」

今さら肩の荷を分け合える時間が戻ってくる気もしなかった。信輝は女の言葉に潜む期待をあさましいとは思えないでいる。

「里奈、俺のことはいいから、予定どおり嫁に行け」

返事がないまま電話が切れた。信輝はバッグの中からペットホテルの預かり証をだしてテーブルの上に置いた。明日の朝一番でパンダを引き取りに行かねばならない。純香が使っていた部屋のドアはひっかき傷でぼろぼろになっていた。猫にドライフードを与えるたびに純香を思いだす。そうしながら、少しずつ生活に妹の死を迎え入れるのだ。違和感がなくなるころには、パンダも主人を探すことをやめるだろう。

信輝はおおきく息を吐き、携帯電話を充電器に差し込んだ。夜が、逆流する河口のように暖まった部屋へとなだれ込んでくる。静かだった。

大気の乾燥も終わりに近づいた三月の初め、始業前の机で地元紙の一面に秋津を見つけた。

『郷土芸術文化賞受賞・秋津龍生氏』

背丈以上もある作品の前で、秋津が腕を組んでいる。昨年の『墨龍展』大賞受賞を受けて、市の文化財団が地域への貢献を讃《たた》えた、とある。秋津が今年度の受賞者になる情報は得ていたが、作品が大きく報じられた記事を目にするのは初めてだ。年末の『墨龍展』受賞記事は、母親の介護をしながらの受賞というところに内容が傾いており、秋津の顔写真しか掲載されていなかった。

信輝は地元紙に大きく取り上げられた秋津龍生の作品を見た。写真の下に「昨年大賞を受賞した『画竜点睛《がりようてんせい》』の横で」とある。しばらく休んでいた教室も年の初めから再開したようだ。

「画竜点睛」

信輝はつぶやいたあと、その言葉が意味するところへ思いを巡らせる。ものごとを完璧《かんぺき》にするための最後の仕上げ――。

秋津龍生に、これほどふさわしい言葉もないだろう。記事には秋津の言葉として「長く妻や母の支えがあった。嬉しい」と書かれている。信輝はもう一度、受賞作品を見た。新聞を広げたのが就業前の執務室でなければ、飽かず一日中眺めていただろう。

授賞式は今週の土曜日だった。信輝は九時になるのを待って、財団事務局に電話をかけた。

「すみません、先日いただいていた文化賞授賞式への出欠はがき、欠席に丸をつけて投函《とうかん》してしまったんですが、出席にしていただくことはできませんか」

係は快く図書館長の出席を承知した。授賞式後のパーティーも立食なので人数の増減に関してはゆるやかに把握すればいいという。

「高齢の方が多いので、実は毎年当日まで人数が把握できないんですよ。お天気によってもずいぶん違いましてね。立食は足腰に不安を抱える方には不評ですけど、一応壁側に椅子《いす》を用意するんです。お若い出席者がいると、正直こちらも助かります」

信輝はひとしきり出欠の変更を詫び、電話を終えた。もう一度、画竜点睛とつぶやく。体の内側で泡のように増え続けながらせり上がってくる思いを、うまく飲み込むことができなかった。

午後からは倉庫にこもり、デジタル化に足る資料をより分ける作業に入った。純香から興味の赴くままにかかってくる電話もなくなった今は、いつか望んだとおり、ひとりになりたいときは好きなだけひとりでいられる。妹と暮らした一年間が、わずらわしくなかったというと嘘《うそ》だ。けれど、あんな結末を欲したことはない。信輝はそこまで考えて、ではどんな結末ならば受け入れられたのかと自問する。応《こた》えはない。みなどこかで純香を疎《うと》ましく思っていた。自分も里奈も、秋津もまた。近ければ近いほど、疎ましさはつよかったろう。信輝はこの耐えきれぬほど重たい荷物の、置き場所を冷静に考えてみた。考えていても、両手は黙々と資料をより分けていた。

夕時、埃《ほこり》まみれになった作業着の袖や肩を払いながら資料室からでた。台車に載せた資料は、原紙の状態を確認した上で業者に作業見積を依頼する。そして、週末は秋津の授賞式にでる。

年明けから、めっきり減った伶子のメールを、ひとつひとつ開いては捨てた。自虐《じぎゃく》的な作業を嗤《わら》っている。帰る場所など、誰も持ってはいないのだ。信輝は秋津伶子という生き方を心の奥で褒め称《たた》えながら、同時に嫌悪している。ひとりを選んだ人間のつよさは、どんな罵倒《ばとう》も受け付けない。秋津伶子は、秋津龍生と生きることを選んだ。信輝に必要なのはその事実だけで、あとはなにも考える必要がない。なにが彼女のためで、なにが自分のためなのか、考えるのはもっとずっと先の話だ。

日が少しずつ長くなっていた。執務室から、海へと落ちてゆく太陽を見る。机の上に、地元出身の小説家から届いた新刊があった。表紙と帯に挟まれた一筆箋《せん》に「いつもありがとうございます。新刊を送らせてください」と書かれている。タイトルには『嫉妬《しっと》』とあった。ずいぶんと強気な題名だと思いながら本を開いた。扉の裏にある文に目がとまる。

――嫉妬とは、終わったと見せかけて何度も寄せる波である。百人いれば百様の、本人にしかわからぬつよさで、ひとりの時間を苦しめ続ける――

本を閉じた。嫉妬よりも後悔よりも、その一文が信輝を長く苦しめてゆく予感があった。

授賞式は河口に近いホテルで行われた。

秋津は、図書館で個展を開いたころよりずっと落ち着いて見えた。クリスタル製の盾を胸に持ち、会場を見渡す余裕もあるようだ。純香の通夜《つや》で見せた涙から立ち直り、憑《つ》きものが落ちたようなすがすがしい表情で受賞の挨拶をしている。来賓へまんべんなく視線を送り、その姿は堂々としていた。

ざっと見て百人ほどの出席者数だ。事務局の係が言ったように、歴代受賞者と審査員の顔ぶれを見ればたしかに年配の人間ばかりだった。信輝は前方の席に伶子の後ろ姿を見つけた。思ったよりも胸が騒がなかった。

式次第をすべて終え、授賞式会場をでてゆく秋津の後ろを、車椅子を押しながら伶子がついてゆく。車椅子に乗せられた白髪の女性は秋津の母親のようだ。

なぜか心は落ち着いている。祝宴の会場へ向かう前に、クロークに預けておいた荷物を受け取った。番号札と引き替えにしたものを持って、低くクラシック音楽が流れる会場に入る。

年齢層が高いせいか、喧噪もどこか嗄《しわが》れていた。

会場の奥まった壁に『画竜点睛』の額が飾られている。「墨龍展大賞受賞作」という金文字の札がかかっていた。秋津が作品のそばにいるらしく、壁のあたりに人だかりができていた。

十分、二十分と経《た》つうちに人垣も薄れてきた。車椅子の周りに伶子の姿は見えなかった。皿を手に歓談中の来賓を避けながら、信輝は秋津のそばまで歩いた。

審査員長が作品の前で感想を並べている。

「秋津君の才能はなかなか世の中に理解されるのは難しいだろうと思っていたんだよ、本当は。けれどこれで苦労も報われた。お母さんもお喜びだろう」

秋津が深々と頭を下げる。審査員長は訓示のような言葉をひとつふたつ述べたあと、今度自宅に遊びに来るようにと言い残して秋津のそばを離れた。

信輝はもう一度会場全体を視界に入れた。伶子の姿はない。心を決めて秋津に声をかけた。

「先生、このたびはおめでとうございます」

信輝を見て、秋津は静かに腰を折った。車椅子の母親は白髪をなでつけ、濃紺の着物を着ていた。痩《や》せこけているが品のいい顔立ちだ。目は開いているのだが、表情は眠っているようにも見える。紫色の膝《ひざ》掛けの上にクリスタルの盾がある。その目はじっと息子の受賞作にすえられており、信輝のほうに向けられることはなかった。

「すみません、痴呆《ちほう》が進んで、もう満足なご挨拶もできません。お許しください」

信輝は首を横に振った。秋津の態度には少しの卑屈さも尊大なところも見えない。彼の抱えた暗闇《くらやみ》の深さを想像したあと、信輝は手に持ったクラフト製の筒を秋津へと差し出した。

「先生、これを」

秋津は信輝から筒を受け取ると、この華やかな席には不似合いな古ぼけた容《い》れものに怪訝《けげん》な表情を見せた。

「わたしからと言うよりも、純香からのお祝いだと思ってください」

「純香さんからの」

「ええ、そうです」

信輝は壁に飾られた受賞作を見た。秋津の視線も同じ方向に向けられた。深く息を吸う。耳に入ってくるすべての音が消えた。

「この中には、二枚の作品が入っています。一枚は純香の母親が書いたもの、もう一枚は純香が書いたものです。署名が違うだけで、あとはすべて同じ。この二枚だけなら、わたしは妹が持っていた力に気づかなかったかもしれない」

秋津が押し殺した声で唸《うな》った。信輝は構わず続けた。

「母は林原聖香といいます。二十三年も前に死んでおりますので、ご存じないかもしれません」

信輝は秋津に向き直った。

「純香は、母の作品を完全に模倣することが出来たようです。祖母はそれを僕に報《しら》せないまま死にました。二枚を見比べることがなかったら、気づくこともありませんでした」

「館長、何をおっしゃりたいのか、わたしには」

「秋津先生、筒の中にはここに飾られた作品とほぼ同じものが入っています」

秋津の顔からすべての表情が消えた。母親の膝掛けから、クリスタルの盾が滑り落ちる。盾は赤い絨毯《じゅうたん》の上に転がった。誰も、拾う者はいない。母親の表情に変化はなかった。

秋津の瞳はうつろなまま信輝に向けられている。信輝は一礼して会場を後にした。

廊下にでると、帰り支度をした来場者に挨拶をしている伶子の姿があった。

挨拶を終えた伶子が信輝に気付いた。頭を下げた。磨き込んだパンプスの黒いつま先から上は見ない。体の向きを変え、ホテルの出口へと向かった。

外は春先の埃くささと河口を漂う海水のにおいがした。晴れ渡った空にひとつ、薄い雲が浮かんでいる。風になびく雲の尾のきれぎれを、しばらく見つめていた。伶子の体の柔らかさが両腕に舞い戻る。純香の姿を空に探す。

心は少しも晴れなかった。

いっときも休まずかたちを変える雲を見上げ、信輝は問うた。

こんなことをして、何になる。

薄い雲は尾をちぎり、風に吹かれている。

「純香」

俺はお前が死ぬことを望んだりはしなかった。

いや、と首を振る。

望まずとも願わなかったか。罪悪感を持たずに済む程度に。

純香。

見上げた場所には、ただ青い空が広がっている。胸に街のにおいを溜《た》めた。空の青さに心を押しつぶされそうになりながら、信輝はもう一度問うた。

純香、お前はどこへ行ったんだ。

連なる問いを抱えて、旅は続く。

旅には終わりがなく、応えもない。

引用文献

『極地の空』（ポール・ボウルズ著／大久保康雄訳）新潮社
『シェルタリング・スカイ』（ポール・ボウルズ著／大久保康雄訳）新潮文庫

解説

村田雅幸

「どうして暗い、不幸な話ばかりを書くんですか」

桜木紫乃さんは、サイン会などでたびたび、読者からこんな質問を受けるという。そう尋ねたくなる気持ちは、わからなくもない。デビュー作『氷平線』以来、誰が読んでもハッピーエンドと取れる作品を書いてきたわけではないし、流行《はや》りの本の帯にたびたび見かける「ほっこりする」「感涙必至」といった惹句《じゃっく》が似合う物語を紡《つむ》いできたのでもない。実際、帯に多く使われている言葉は「生」と「死」。主人公らが直面する日々は決して甘いものではなく、彼らが生きる姿に触れた読者は、「ああ面白かった」という思いだけでは本を閉じることができない。その心はしばらくの間、静かに揺れ続ける。

だが、不幸な物語かと問われれば、「違う」と答えるべきであろう。どの作品の登場人物も、何らかの生きづらさを抱えてはいる。けれど、どこかで折り合いをつけなから、自らが生きる道を懸命に選び取っている。もちろん、可能な限りではあるが、それがごく小さな選択であっても、だ。たとえば桜木作品では、男女の関係が重要となることが少なくないが、女性視点で物語が進んでいれば、著者は「男に抱かれる」ではなく、「男を抱く」と書く。『硝子の葦《あし》』でも『ラブレス』でも、そして本作『無《む》垢《く》の領域』でも、女たちは男から選ばれるのではなく、選んでいる。――自分で選んでいるのだから、不幸なはずがないでしょう？　そんな桜木さんの声が、作品から聞こえてくるような気がする。

また、明るい物語とまでは言えなくとも、「暗い」という一言で言い切ってしまえる作品でもない。読めば、他の作品も読みたくなる。癖になる。

確かに、北海道という北の大地、それも大都市の札幌ではなく、釧路《くしろ》や根室といった「外れ」を舞台にした物語には、都会を彩る「流行りもの」も、きらびやかな街の灯もない。だがそこには、人間の営みを漏らさず見つめようとする目がある。誰もが生きていくうえで抱えてしまう「かなしみ」に寄り添う優しさと、それを受け入れて生きる逞《たくま》しさ（女性登場人物に顕著だ）がある。

「生きることのかなしみ」は桜木作品を読み解く一つのキーワードにもなるはずだ。「かなしい」とは、「自分の力ではとても及ばないと感じる切なさをいう語」（『広辞苑』）であり、漢字では「悲しい」「哀しい」、そして「愛しい」とも書く。「悲」は心が裂ける様を、「哀」は口を衣で抑え、思いを胸中に抑えてむせぶ様を語源にするとも言われ、「愛」とはそもそも、ままならぬものだ。桜木さんの書く物語の色合いがモノトーンのようでありながら深い奥行きを感じさせるのは、「生きることのかなしみ」を描くことがそのまま、人間が持ついくつもの側面を描くことになるからでもあるのだろう。

『ホテルローヤル』が直木賞（二〇一三年上期）に決まった後、受賞第一作として刊行された本作には、「かなしみ」でも、とりわけ「哀しみ」が色濃く表れているように思う。野心はあるものの自分の殻を破れず、書道教室の先生に甘んじている書家の秋津龍生《あきつりゅうせい》、その妻で養護教諭の伶子《れいこ》、そして民営化された釧路図書館に館長として乗り込んできた林原信輝《はやしばらのぶき》の三人は、見たくないものに蓋《ふた》をし、何かを諦《あきら》めながら自身の心の均衡や、他人との距離のバランスをとっている。皆、心の奥底に本当の思いを沈み込ませて。あるいは、気づかぬふりをして。

そんな一見平穏な日々を乱す存在として登場するのが、林原の妹の純香《じゅんか》。〈二十五歳という年齢に心の成長が追いついていない〉彼女は、他人の機嫌をうかがってウソをつくということを知らない。あまりに純粋無垢であるがゆえに、三人が心の隙間《すきま》に隠していたものを少しずつ浮かび上がらせてしまう。秋津のそれは、純香の天才的な書の才能へのあこがれと嫉妬《しっと》。伶子なら、純香を介して生まれた、林原への男女でも親子でも姉弟でもない感情。林原は、幼子のような純香を一人で抱えることになり、長年曖昧《あいまい》にしてきた恋人との関係に「けり」をつけようとする。

心の蓋を開けてみれば、誰もが身勝手で、愚かなのだ。けれど、そうして生まれた彼らの感情を、桜木紫乃という作家は否定しない。彼ら個人を断罪することもない。純香が釧路川の川面《かわも》をなでる風の中に、亡《な》き祖母の〈この世には仕方ないことっていうのがあるんだ〉という声を聞いて考えたこととして、こんなふうに記す。〈そうか。仕方のないことがいっぱいになると、人を恨みたくなるのか。（略）よっちゃん、純香はいまとても嫌な気持ちですが、よっちゃんのこと、恨みません〉――だって、誰にだってそうしなければならなかった理由があるはずだし、人を恨んだり、悪く言ったりすれば、後で自分のことが嫌いになるだけでしょう？　桜木さんはきっと、そう言うに違いない。

『無垢の領域』では、林原の愛読書、ボウルズの『シェルタリング・スカイ』にある、観光客《ツーリスト》と旅行者《トラヴェラー》という二つの言葉も重要になる。その言葉の使い方からは、本作以前の作品で描いた故郷、あるいは自分を縛るものに対する著者の考えが、変わりつつある様子がうかがえる。

北海道開拓三世である桜木さんは、自分たちが「根無し草」であるということをずっと意識してきた。また、北海道の人間は「内地」の人間とは違い、「根無し草」であることに悪いイメージを持たず、気ままでいいぐらいだと考えている、とも話していた。いくつもの作品の中で、そのような思いを書いてきている。

短編集『起終点駅 ターミナル』の一編「潮風の家」では、年老いた女がこう語る。〈ワシらに身寄りがないこと、誰も気の毒がる必要なんかねぇんだわ。みんな親兄弟捨ててきた人間の子や孫なんだからよ〉。『ラブレス』では、もっと力強い。〈どこへ向かうも風のなすまま。からりと明るく次の場所へ向かい、あっさりと昨日を捨てる。捨てた昨日を惜しんだりしない〉

それが本作では、少し揺れ始めているようにも映るのだ。

〈『観光客《ツーリスト》というものは、おおむね数週間ないし数カ月ののちには家へ戻るのに対して、旅行者《トラヴェラー》は、いずれの土地にも属しておらず、何年もの期間をかけて、地球上の一部分から他の部分へと、ゆっくり動いてゆく』〉

林原は、『シェルタリング・スカイ』のこの一文を浮かべながら、ふと思う。

〈旅行者《トラヴェラー》だったはずだ。自分は旅行者《トラヴェラー》だった。信輝の胸奥で、捨て続けてきたはずのあれこれが湧《わ》き出す。（略）雪よりも冷たいものが信輝の胸を満たし始める。自分はこの地に降り立ったときからただの一歩も踏み出せていないのではないか〉

一歩も踏み出せていないのではないか。過去を捨て切れていないのではないか――。そんな思いは、林原に限ったものではない。秋津にも伶子にも、彼らを縛るものがある。読者も、本を読み進めるうちに気づいたはずだ。実は本作は、母親と子供の関係を描いた物語でもあるのだと。書家であり、今は認知症を患《わずら》う秋津の母は、息子を一人前にするために財産のほとんどを使ってしまった人間だった。その母に隠された「狂気」とも呼べそうな秘密が明らかになっていく過程は、身震いしてしまうほど恐ろしい。伶子が実家に寄りつかないのは、母親から逃げ切れないことを本能的に知っているからだ。林原と純香の母は天才的な書家だったが、子供と向き合うことなく、自らの才能に呑《の》まれたあげく命を絶ってしまっていた。秋津の書道教室に通う中学二年生の嘉史《よしふみ》もまた、絵画教室を開く母に「絵の天才」と持ち上げられ、身動きが取れなくなっている。

ただ、そんな母親でも、存在すべてを否定することがないのが、桜木さんらしい。〈母の手はいつも、息子を思う方へと導き、破滅させる。母の愛情に名を借りた傲慢《ごうまん》

な思いは、栄養であって毒、毒であってやはり愛情なのだろう〉

なぜ「悪」だと言い切らないのか。桜木さんの優しさがそうさせている部分もあるだろう。人間はさまざまな顔を持つとよく理解しているからでもあるのだろう。でも、それ以上に人としての覚悟を感じる。——そういう人間もいる。けれど、そういう人間のせいで、こうなったのだとは言いたくはない。自分の人生は自分で引き受けるべきなのだ、と。

物語の最後で林原は、〈このまま風に吹かれよう。今度こそ本当に旅行者《トラヴェラー》になる〉と決める。一方、桜木さんは最新刊『霧　ウラル』（二〇一五年九月刊）では、主人公・珠生《たまき》にこう決心させている。〈ひとつふたつ、風に逆らったことでなにがどう変わるのか、この目で見てみたいと思った〉

風に吹かれ、どこかへ流れていく人生か。地にしっかりと足をつけ、風に逆らう人生か。二つの間には、距離がある。二作品の執筆の間には、著者自身の心境の変化、心の揺れもあったはずだ。しかし、根っこは共通している。林原も珠生も、楽な道は選ばない。己の性分にため息をつきながらも、少しずつ前へ進もうとする。

そして彼らと同じく、作家・桜木紫乃も安易な道は歩かない。自身の心を深く掘り、素材を、テーマを見定めていく。その意味で本書は、桜木さんが意識したかどうかにかかわらず、これからも書き続けていくという決意を表した作品になったとも言えるのではないだろうか。

（二〇一五年十二月、読売新聞文化部記者）

この作品は二〇一三年七月新潮社より刊行された。

桐野夏生著 **ジオラマ**

あたりまえのように思えた日常は、一瞬で、あっけなく崩壊する。あなたの心も、変わってゆく。ゆれ動く世界に捧げられた短編集。

桐野夏生著 **冒険の国**

時代の趨勢に取り残され、滅びゆく人びと。同級生の自殺による欠落感を埋められない主人公の痛々しい青春。文庫オリジナル作品！

桐野夏生著 **魂萌え！**（上・下）

婦人公論文芸賞受賞

夫に先立たれた敏子、五十九歳。「平凡な主婦」が突然、第二の人生を迎える戸惑い。そして新たな体験を通し、魂の昂揚を描く長篇。

桐野夏生著 **残虐記**

柴田錬三郎賞受賞

自分は二十五年前の少女誘拐監禁事件の被害者だという手記を残し、作家が消えた。折り重なった虚実と強烈な欲望を描き切った傑作。

桐野夏生著 **東京島**

谷崎潤一郎賞受賞

ここに生きているのは、三十一人の男たち。そして女王の恍惚を味わう、ただひとりの女。孤島を舞台に描かれる、〝キリノ版創世記〟。

桐野夏生著 **ナニカアル**

島清恋愛文学賞・読売文学賞受賞

「どこにも楽園なんてないんだ」。戦争が愛人との関係を歪めてゆく。林芙美子が熱帯で覗き込んだ恋の闇。桐野夏生の新たな代表作。

原田康子著

挽歌

女流文学者賞受賞

霧に沈む北海道の街で知り合った中年の建築家桂木を忘れられない怜子。彼女の異常な情熱は桂木の家庭を壊し、悲劇的な結末が……。

乃南アサ著

夜《よ》離《が》れ

結婚に憧れる女性たちが、ふと思いついた企みとは？ ホントだったら怖いけど、どこか痛快！ 微妙な女心を描く6つのサスペンス。

乃南アサ著

5年目の魔女

魔性を秘めたOL、貴世美。彼女を抱いた男は人生を狂わせ、彼女に関わった女は……。女という性の深い闇を抉る長編サスペンス。

乃南アサ著

しゃぼん玉

通り魔を繰り返す卑劣な青年が山村に逃げ込んだ。正体を知らぬ村人達は彼を歓待するが。涙なくしては読めぬ心理サスペンスの傑作。

乃南アサ著

禁猟区

犯罪を犯した警官を捜査・検挙する組織――警務部人事一課調査二係。女性監察官沼尻いくみの胸のすく活躍を描く傑作警察小説四編。

乃南アサ著

最後の花束

―乃南アサ短編傑作選―

愛は怖い。恋も怖い。狂気は女たちを少しずつ蝕み、壊していった――。サスペンスの名手の短編を単行本未収録作品を加えて精選！

角田光代著

キッドナップ・ツアー

産経児童出版文化賞・路傍の石文学賞受賞

私はおとうさんにユウカイ(=キッドナップ)された！　だらしなくて情けない父親とクールな女の子ハルの、ひと夏のユウカイ旅行。

角田光代著

おやすみ、こわい夢を見ないように

もう、あいつは、いなくなれ……。いじめ、不倫、逆恨み。理不尽な仕打ちに心を壊された人々。残酷な「いま」を刻んだ7つのドラマ。

角田光代著

さがしもの

「おばあちゃん、幽霊になってもこれが読みたかったの？」運命を変え、世界につながる小さな魔法「本」への愛にあふれた短編集。

角田光代著

しあわせのねだん

私たちはお金を使うとき、べつのものも確実に手に入れている。家計簿名人のカクタさんがサイフの中身を大公開してお金の謎に迫る。

角田光代著

くまちゃん

この人は私の人生を変えてくれる？　ふる／ふられるでつながった男女の輪に、恋の理想と現実を描く共感度満点の「ふられ小説」。

角田光代著

今日もごちそうさまでした

苦手だった野菜が、きのこが、青魚が……こんなに美味しい！　読むほどに、次のごはんが待ち遠しくなる絶品食べものエッセイ。

恩田陸著
六番目の小夜子
ツムラサヨコ。奇妙なゲームが受け継がれる高校に、謎めいた生徒が転校してきた。青春のきらめきを放つ、伝説のモダン・ホラー。

恩田陸著
ライオンハート
17世紀のロンドン、19世紀のシェルブール、20世紀のパナマ、フロリダ……。時空を越えて邂逅する男と女。異色のラブストーリー。

恩田陸著
図書室の海
学校に代々伝わる〈サヨコ〉伝説。女子高生は伝説に関わる秘密の使命を託された――。恩田ワールドの魅力満載。全10話の短篇玉手箱。

恩田陸著
夜のピクニック
吉川英治文学新人賞・本屋大賞受賞
小さな賭けを胸に秘め、貴子は高校生活最後のイベント歩行祭にのぞむ。誰にも言えない秘密を清算するために。永遠普遍の青春小説。

恩田陸著
中庭の出来事
山本周五郎賞受賞
瀟洒なホテルの中庭で、気鋭の脚本家が謎の死を遂げた。容疑は三人の女優に掛かるが。芝居とミステリが見事に融合した著者の新境地。

恩田陸著
私と踊って
孤独だけど、独りじゃないわ――稀代の舞踏家をモチーフにした表題作ほかミステリ、SF、ホラーなど味わい異なる珠玉の十九編。

山田詠美著　ひざまずいて足をお舐め

ストリップ小屋、SMクラブ……夜の世界をあっけらかんと遊泳しながら作家となった主人公ちかの世界を、本音で綴った虚構的自伝。

山田詠美著　色彩の息子

妄想、孤独、嫉妬、倒錯、再生……。金赤青紫白緑橙黄灰茶黒銀に偏光しながら、心のカンヴァスを妖しく彩る12色の短編タペストリー。

山田詠美著　ラビット病

ふわふわ柔らかいうさぎのように、いつもくっついているふたり。キュートなゆりちゃんといいたいけなロバちゃんの熱き恋の行方は？

山田詠美著　放課後の音符《キイノート》

大人でも子供でもないもどかしい時間。まだ、恋の匂いにも揺れる17歳の日々――。放課後にはじまる、甘くせつない8編の恋愛物語。

山田詠美著　ぼくは勉強ができない

勉強よりも、もっと素敵で大切なことがあると思うんだ。退屈な大人になんてなりたくない。17歳の秀美くんが元気溌剌な高校生小説。

山田詠美著　ベッドタイムアイズ・指の戯れ・ジェシーの背骨　文藝賞受賞

視線が交り、愛が始まった。クラブ歌手キムと黒人兵スプーン。狂おしい愛のかたちを描くデビュー作など、著者初期の輝かしい三編。

三浦綾子著
塩狩峠

大勢の乗客の命を救うため、雪の塩狩峠で自らの命を犠牲にした若き鉄道員の愛と信仰に貫かれた生涯を描き、人間存在の意味を問う。

三浦綾子著
道ありき
―青春編―

教員生活の挫折、病魔――絶望の底へ突き落とされた著者が、十三年の闘病の中で自己の青春の愛と信仰を赤裸々に告白した心の歴史。

三浦綾子著
泥流地帯

大正十五年五月、十勝岳大噴火。家も学校も恋も夢も、泥流が一気に押し流す。懸命に生きる兄弟を通して人生の試練とは何かを問う。

三浦綾子著
積木の箱
（上・下）

〈妻妾同居、こんなの家庭じゃない〉。傷つき反抗的になってゆく少年を何とか助けようとする教師。現代の教育・家庭問題を追求する。

三浦綾子著
天北原野
（上・下）

苛酷な北海道・樺太の大自然と、太平洋戦争を背景に、心に罪の十字架を背負った人間たちの、愛と憎しみを描き出す長編小説。

三浦綾子著
細川ガラシャ夫人
（上・下）

戦乱の世にあって、信仰と貞節に殉じた悲劇の女細川ガラシャ夫人。清らかにして熾烈なその生涯を描き出す、著者初の歴史小説。

三浦しをん著

格闘する者に○《まる》

漫画編集者になりたい——就職戦線で知る、世間の荒波と仰天の実態。妄想力全開で描く格闘の日々。才気あふれる小説デビュー作。

三浦しをん著

秘密の花園

それぞれに「秘めごと」を抱える三人の女子高生。「私」が求めたことは——痛みを知ってなお輝く強靭な魂を描く、記念碑的青春小説。

三浦しをん著

私が語りはじめた彼は

大学教授・村川融をめぐる女、男、妻、娘、息子……それぞれの「私」は彼に何を求めたのか。人間関係の危うさをあぶり出す、連作長編。

三浦しをん著

風が強く吹いている

目指せ、箱根駅伝。風を感じながら、たすき繋いで、走り抜け！「速く」ではなく「強く」——純度100パーセントの疾走青春小説。

三浦しをん著

きみはポラリス

すべての恋愛は、普通じゃない——誰かを強く大切に思うとき放たれる、宇宙にただひとつの特別な光。最強の恋愛小説短編集。

三浦しをん著

天国旅行

すべてを捨てて行き着く果てに、救いはあるのだろうか。生と死の狭間から浮き上がる愛と人生の真実。心に光が差し込む傑作短編集。

宮部みゆき著

理　由

直木賞受賞

被害者だったはずの家族は、実は見ず知らずの他人同士だった……。斬新な手法で現代社会の悲劇を浮き彫りにした、新たなる古典！

宮部みゆき著

模倣犯

芸術選奨受賞（一〜五）

邪悪な欲望のままに「女性狩り」を繰り返し、マスコミを愚弄して勝ち誇る怪物の正体は？　著者の代表作にして現代ミステリの金字塔！

宮部みゆき著

あかんべえ（上・下）

深川の「ふね屋」で起きた怪異騒動。なぜか娘のおりんにしか、亡者の姿は見えなかった。少女と亡者の交流に心温まる感動の時代長編。

宮部みゆき著

孤宿の人（上・下）

藩内で毒死や凶事が相次ぎ、流罪となった幕府要人の祟りと噂された。お家騒動を背景に無垢な少女の魂の成長を描く感動の時代長編。

宮部みゆき著

英雄の書（上・下）

中学生の兄が同級生を刺して失踪。妹の友理子は、〝英雄〟に取り憑かれ罪を犯した兄を救うため、勇気を奮って大冒険の旅へと出た。

宮部みゆき著

ソロモンの偽証

―第Ⅰ部　事件―（上・下）

クリスマス未明に転落死したひとりの中学生。彼の死は、自殺か、殺人か――。作家生活25年の集大成、現代ミステリーの最高峰。

渡辺淳一著
花埋み
夫からうつされた業病に耐えながら、同じ苦しみにあえぐ女性を救うべく、医学の道を志した日本最初の女医、荻野吟子の生涯を描く。

渡辺淳一著
別れぬ理由
互いに外に愛人を持つ夫と妻。疑い、争いつつ、なお別れる道を選ばない二人を通して、現代の〈理想〉の夫婦像をさぐった話題作。

渡辺淳一著
風の噂
熱烈な恋愛の果てに別な女性と結婚した男が15年たってなお女の消息に心を揺らす表題作など、男女の心の機微を絶妙に捉えた短編集。

渡辺淳一著
かりそめ
しょせんこの世はかりそめ。だから、せめて今だけは……。過酷な運命におののきつつ、背徳の世界に耽溺する男と女。

乾ルカ著
君の波が聞こえる
謎の城に閉じ込められた少年は心に誓った。絶対に二人でここを出るんだ――。思春期の美しい友情が胸に響く切ない傑作青春小説。

大崎善生著
赦す人
―団鬼六伝―
夜逃げ、破産、妻の不貞、闘病……。栄光と転落を繰り返し、無限の優しさと赦しで周囲を包んだ「緊縛の文豪」の波瀾万丈な一代記。

無《む》垢《く》の領《りょう》域《いき》

新潮文庫　さ-82-3

平成二十八年二月一日発行

著者　桜《さくら》木《ぎ》紫《し》乃《の》

発行者　佐藤隆信

発行所　株式会社　新潮社

郵便番号　一六二―八七一一
東京都新宿区矢来町七一
電話　編集部(〇三)三二六六―五四四〇
　　　読者係(〇三)三二六六―五一一一
http://www.shinchosha.co.jp

価格はカバーに表示してあります。

乱丁・落丁本は、ご面倒ですが小社読者係宛ご送付ください。送料小社負担にてお取替えいたします。

印刷・二光印刷株式会社　製本・株式会社大進堂

ISBN978-4-10-125483-8 C0193